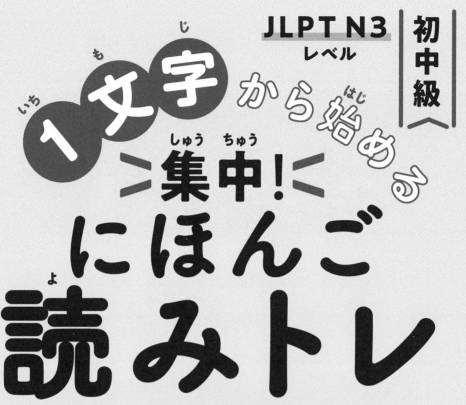

JLPT N3 レベル 初中級へ

1文字から始める 集中! にほんご読みトレ

Step-by-step Training in Reading Japanese
Pre-intermediate

西隈俊哉
Shun-ya Nishikuma

the japan times PUBLISHING

1文字から始める
集中！にほんご読みトレ 初中級
Step-by-step Training in Reading Japanese: Pre-intermediate

2024年11月5日　初版発行

著　者：西隈俊哉
発行者：伊藤秀樹
発行所：株式会社 ジャパンタイムズ出版
　　　　〒102-0082 東京都千代田区一番町 2-2 一番町第二 TG ビル 2F

ISBN978-4-7890-1899-9
本書の無断複製は著作権法上の例外を除き禁じられています。

Copyright © 2024 by Shun-ya Nishikuma

All rights reserved. No part of this publication may be reproduced, stored in a retrieval system, or transmitted in any form or by any means, electronic, mechanical, photocopying, recording, or otherwise, without the prior written permission of the publisher.

First edition: November 2024

Illustrations: Miwa Fukuhara
Layout design, typesetting and cover art: Hirohisa Shimizu (Pesco Paint)
English translations: Jon McGovern
Vietnamese translations: Nguyen Do An Nhien
Nepali translations: Amitt Co., Ltd.
Printing: Chuo Seihan Printing Co., Ltd.

Published by The Japan Times Publishing, Ltd.
2F Ichibancho Daini TG Bldg., 2-2 Ichibancho, Chiyoda-ku, Tokyo 102-0082, Japan
Website: https://jtpublishing.co.jp/

ISBN978-4-7890-1899-9

Printed in Japan

はじめに

　「読むことは苦手だ」と思う人が多いです。なぜでしょうか。

　まず、会話との違いについて考えてみましょう。会話は、話す相手がいます。わからないところがあれば、相手に質問することができるし、言い直してもらうこともできます。一方で、読むときは一人だけです。質問する相手、つまり書いた人はそこにいません。

　そして、試験の読解問題について考えてみましょう。例えば日本語能力試験 N3 の読解は、N4 よりも文章が長いので、読むのに時間がかかります。読めない漢字があるとそこでストップすることもあります。試験を受けたとき、時間が足りなくて全部解けなかったという人もいるでしょう。

　この本は、初級レベルの学習が一通り終わり、会話はできるようになったものの、文章を読むのは苦手だという人のために作りました。読む力を伸ばすには、短いものをしっかり見て読むことから始めることが大切です。そこでこの本では、なんと"1文字"から練習できるようにしました。1文字から始まり、単語、文や図表、文章へとだんだん長くなっていきます。短いものから注意深く読む練習をたくさんくり返すうちに、楽に読めるようになるでしょう。そして、読む力が身についたかどうかを確認するための問題も最後の章に用意しました。長い文章や文字の多い図表もありますが、挑戦してみてください。

　「千里の道も一歩から」という言葉があります。「長い距離を歩くときも最初の一歩が大事だ」という意味です。日本語の学習も、一歩ずつ練習していくことが大事です。どうか自分の力を信じてがんばってください。

　執筆にあたり、ジャパンタイムズ出版の東郷美香さんには相談・助言等も含め大変お世話になりました。そして、本書のもとになった1文読解のアイデアを実践する場を作ってくださった、ホツマインターナショナルスクールの白木寛和先生に厚く御礼を申し上げます。

2024年8月　西隈俊哉

本書の構成

第1部　注意深く読む力をつけるための基礎練習をします。前半は、間違い探しや仲間分けなど「違うものに気づく」練習をします。1文字から始まって、単語、文へと読むものが長くなっていきます。後半にはイラストや図表を使った問題があります。その図表が何を伝えたいのかを、すばやく理解することが大事です。図表の読み取りが苦手な場合は、この問題で練習してみましょう。

第2部　文の単位で読み解く練習を集中的に行います。例えば5W1Hをつかむ、文の意味に合うものを選ぶ、接続詞を選ぶなどの問題があります。読む力を構成する語彙力、文法力、推論力、注意深く読む力を総合的に身につけられるよう、ここでは様々な形式の問題を用意しました。1文から始めて、文と文のつながりに注意しながら、小さな単位で正しく読み取る練習を積み重ねることで、読解に対する苦手意識をなくしていきましょう。

第3部　応用として、オーソドックスな読解問題を用意しました。第1部・第2部での練習の成果を確認するために解いてみましょう。難しいと感じた場合は第1部・第2部の問題に戻って、解き直してみてください。第3部の問題がすらすらと解けるようになったら、他の読解問題集にチャレンジしてみましょう。

　問題の形式が変わる回には、例題があります。どんな問題なのかを確認してから、取りかかりましょう。また、各回には解答の目標時間を設けています。日本語能力試験（JLPT）や日本留学試験（EJU）などでは試験時間が決められているので、ゆっくり読んで答えることができません。時間内にすばやく読んで答えを出せるように、くり返し練習しましょう。

解説　問題の解説をPDFファイルで提供します。以下のURLからダウンロードしてください。日本語版のほか、英語版、ベトナム語版、ネパール語版があります。学習者の言語に合わせて利用してください。

https://bookclub.japantimes.co.jp/jp/book/b653076.html

Structure of This Book

Part 1 provides basic practice for building the ability to read carefully. The first half consists of exercises in identifying differences, such as finding mistakes or items that don't belong in a group. It progresses from short to longer reading material, starting at the level of a single character and then expanding to words and sentences. The second half presents problems that involve illustrations, diagrams, or tables. The key to solving them is to quickly glean the information conveyed by the visuals. If you have trouble deciphering figures and tables, be sure to practice with these exercises.

Part 2 comprises intensive practice in understanding sentences. Tasks include figuring out the 5W1H of a sentence, choosing the paraphrase of a sentence, and selecting the right conjunction, among others. A wide variety of exercise formats are used to comprehensively develop core reading skills—vocabulary, grammar comprehension, reasoning, and the ability to read carefully. This part starts with practice at the sentence level and then moves to tasks for correctly understanding small batches of sentences, including by paying attention to how they are connected. Steadily work your way through these exercises to overcome any aversion you may have to the challenge of mastering reading comprehension.

Part 3 consists of orthodox reading comprehension problems for applied practice. As you go through the exercises, assess your mastery of the material in Parts 1 and 2. If you struggle with Part 3, redo the practices in Part 1 or 2 and then come back to take another shot. After you become able to do the Part 3 exercises comfortably, it's time to challenge yourself with a different reading practice book.

Each different category of exercises provides an example problem and its answer at the beginning. Before jumping headlong into a new set of exercises, be sure to look at the example and familiarize yourself with what needs to be done. Each unit also lists the expected amount of time needed to complete it. Repeatedly practice each set until you're able to quickly complete it within the allotted time. This will help you to prepare for exams like the Japanese-Language Proficiency Test (JLPT) and the Examination for Japanese University Admission for International Students (EJU), where time limits do not allow you to read the material at a leisurely pace.

Explanations of the exercises are available in a PDF file downloadable via the following link. These are provided in Japanese, English, Vietnamese, and Nepali, so choose the language version that serves your needs.

https://bookclub.japantimes.co.jp/en/book/b653077.html

Cấu trúc của quyển sách này

Phần 1 Bạn sẽ luyện tập cơ bản để tích lũy năng lực đọc kỹ. Nửa phần đầu, bạn sẽ luyện tập "nhận ra điểm khác biệt" qua phần tìm sự khác nhau, phân loại nhóm v.v. Bắt đầu từ 1 chữ, sau đó dài lên, sang từ, đến câu văn. Nửa phần sau là câu hỏi có dùng hình minh họa, bảng biểu. Điều quan trọng là bạn phải nhanh chóng hiểu được những bảng biểu đó muốn truyền đạt điều gì. Nếu không giỏi đọc bảng biểu, bạn hãy luyện tập bằng loại câu hỏi này nhé.

Phần 2 Bạn sẽ tập trung luyện đọc hiểu theo đơn vị câu. Ví dụ, có những câu hỏi như nắm bắt 5W1H, chọn những gì phù hợp với ý nghĩa của câu, chọn từ nối v.v. Ở đây, chúng tôi đã biên soạn các câu hỏi với nhiều hình thức khác nhau để bạn có thể tích lũy tổng hợp các năng lực từ vựng, năng lực ngữ pháp, năng lực suy luận, năng lực đọc kỹ là những năng lực hình thành năng lực đọc. Hãy bắt đầu từ 1 câu, sau đó vừa lưu ý sự kết nối giữa câu và câu vừa luyện lập đọc chính xác theo đơn vị nhỏ nhiều lần để loại bỏ suy nghĩ ngại đọc hiểu.

Phần 3 Chúng tôi đã biên soạn các câu hỏi đọc hiểu chính thống như phần ứng dụng. Hãy thử làm để kiểm tra thành quả luyện tập ở phần 1, phần 2. Nếu cảm thấy khó, hãy quay lại các câu hỏi ở phần 1, phần 2 để làm lại. Sau khi làm được trôi chảy các câu hỏi ở phần 3, hãy thử sức với các tập câu hỏi đọc hiểu khác.

Mỗi lần thay đổi hình thức câu hỏi đều có câu ví dụ. Sau khi xác nhận được là câu hỏi dạng nào thì hãy làm thử. Ngoài ra, chúng tôi còn thiết lập thời gian mục tiêu khi giải đề. Vì thời gian thi của các kỳ thi như Năng lực tiếng Nhật (JLPT) hay kỳ thi Du học Nhật Bản (EJU) v.v. đều có quy định nên bạn không thể đọc từ từ để trả lời. Hãy luyện tập nhiều lần để có thể đọc nhanh và đưa ra câu trả lời trong thời gian quy định.

Giải thích Chúng tôi cung cấp phần giải thích câu hỏi qua tập tin PDF. Vui lòng tải từ đường dẫn dưới đây. Bên cạnh tiếng Nhật, còn có tiếng Anh, tiếng Việt, tiếng Nepal. Hãy chọn ngôn ngữ phù hợp với mình để sử dụng.

https://bookclub.japantimes.co.jp/en/book/b653077.html

यस पुस्तकको संरचना

भाग १ ले ध्यानपूर्वक पढ्ने क्षमता विकास गर्न आधारभूत अभ्यास प्रदान गर्दछ। पहिलो आधा भागमा गल्तीहरू पत्ता लगाउने वा समूहमा नपर्ने वस्तुहरू फेला पार्ने जस्ता भिन्नताहरू पहिचान गर्ने अभ्यासहरू समावेश छन्। यसमा छोटो पाठ्यसामग्रीबाट लामो हुँदै जान्छ, एउटा अक्षरको स्तरबाट सुरु भई त्यसपछि शब्दहरू र वाक्यहरूमा विस्तार हुन्छ। दोस्रो दोस्रो आधा भागले चित्रहरू, रेखाचित्र वा तालिकाहरू समावेश भएका प्रश्नहरू प्रस्तुत गर्दछ। तिनीहरूलाई समाधान गर्ने तरिका भनेको दृश्यात्मक रूपमा प्रदान गरिएका जानकारीलाई द्रुत रूपमा जम्मा गर्नु हो। यदि तपाईंलाई चित्र र तालिकाहरू बुझ्न गाह्रो लाग्छ भने यी अभ्यासका प्रश्नहरू प्रयोग गरेर अभ्यास गर्न निश्चित गर्नुहोस्।

भाग २ मा वाक्यहरू बुझ्नको लागि गहन अभ्यास समावेश छन्। वाक्यको 5W1H पत्ता लगाउने, वाक्यको व्याख्या छनोट गर्ने, सही संयोजन चयन गर्ने र कार्यहरू छन्। शब्दावली, व्याकरणको बुझाइ, तर्क र ध्यानपूर्वक पढ्ने क्षमताको जस्ता मर्म पढ्न सक्ने क्षमताको व्यापक विकास गर्न अभ्यासका ढाँचाहरूको प्रयोग गरिन्छ। यो भाग वाक्य स्तरका अभ्यासबाट सुरु हुन्छ र त्यसपछि साना वाक्यहरूको समूहलाई तिनीहरू कसरी जोडिएका छन् भन्ने कुरामा ध्यान दिँदै सही रूपमा बुझ्ने कार्यतर्फ बढ्छ। पढेर बुझ्ने कार्यमा निपुणता हासिल गर्ने चुनौतीको सामना गर्दा आइपर्ने कुनै पनि अनिच्छालाई हटाउन निरन्तर रूपमा यी अभ्यासहरू गर्नुहोस्।

भाग ३ मा व्यावहारिक अभ्यासका लागि परम्परागत पढेर बुझ्ने प्रश्नहरू समावेश छन्। यी अभ्यासहरू गर्दै जाँदा भाग १ र २ मा पढेका सामग्रीप्रति तपाईंको निपुणताको मूल्याङ्कन गर्नुहोस्। भाग ३ गाह्रो लागेमा भाग १ वा २ का अभ्यासहरू पुनःगर्नुहोस् र त्यसपछि फेरि प्रयास गर्न फर्केर आउनुहोस्। भाग ३ का अभ्यासहरू सजिलै सँग गर्न सक्षम भएपछि अन्य पठन अभ्यासको पुस्तक पढेर आफ्नो क्षमता अझ बढाउनुहोस्।

प्रत्येक फरक वर्गको अभ्यासको सुरुमा उदाहरण प्रश्न र यसको उत्तर प्रदान गरिएका छन्। अभ्यासको नयाँ सेटमा हाम फाल्नुअघि उदाहरण हेर्न र के गर्नुपर्ने हो भनेर जानिराख्नुहोस्। प्रत्येक एकाइमा त्यसलाई पूरा गर्न आवश्यक हुने अपेक्षित समय पनि सूचीबद्ध गरिएको छ। छुट्याइएको समयभित्र छिटो पूरा गर्नसक्षम नहोउन्जेलसम्म प्रत्येक सेटलाई बारम्बार अभ्यास गर्नुहोस्। यसले तपाईंलाई समय सीमाले गर्दा फुर्सदमा सामग्री पढ्न नसक्दा जापानी भाषा प्रवीणता परीक्षा (JLPT) र अन्तर्राष्ट्रिय विद्यार्थीहरूको लागि जापानी विश्वविद्यालय भर्ना (EJU) को परीक्षा जस्ता परीक्षाहरूको तयारी गर्न मद्दत गर्ने छ।

अभ्यासका **व्याख्याहरू** निम्न लिङ्कमा डाउनलोड गर्न सकिने गरी PDF फाइलमा उपलब्ध छन्। यी सामग्रीहरू जापानी, अङ्ग्रेजी, भियतनामी र नेपाली भाषामा उपलब्ध गराइएकोले आफ्नो आवश्यकता पूरा गर्ने भाषा संस्करण छान्नुहोस्।

https://bookclub.japantimes.co.jp/en/book/b653077.html

もくじ

はじめに ……… 3　本書の構成 ……… 4

第1部　1文字から始める 基礎トレーニング

第1回	違う文字を探す① …… 10	第6回	仲間外れを選ぶ① …… 24
第2回	違う文字を探す② …… 14	第7回	仲間外れを選ぶ② …… 26
第3回	間違いを見つける① …… 18	第8回	図表を読み取る① …… 28
第4回	間違いを見つける② …… 20	第9回	図表を読み取る② …… 32
第5回	間違いを見つける③ …… 22		

第2部　文を読み解く 集中トレーニング

第10回	5W1Hをつかむ① …… 38	第20回	文を正しく直す② …… 58
第11回	5W1Hをつかむ② …… 40	第21回	文を正しく直す③ …… 60
第12回	文の意味に合うものを選ぶ① …… 42	第22回	あとに続く文を選ぶ① …… 62
第13回	文の意味に合うものを選ぶ② …… 44	第23回	あとに続く文を選ぶ② …… 64
第14回	文の意味に合うものを選ぶ③ …… 46	第24回	あとに続く文を選ぶ③ …… 66
第15回	使い方が違うものを見つける① …… 48	第25回	文を並べ替える① …… 68
第16回	使い方が違うものを見つける② …… 50	第26回	文を並べ替える② …… 70
第17回	文の穴埋めをする① …… 52	第27回	余りを選ぶ① …… 72
第18回	文の穴埋めをする② …… 54	第28回	余りを選ぶ② …… 74
第19回	文を正しく直す① …… 56		

第3部　文章・情報を読む 応用トレーニング

第29回	文章を読み取る① …… 78	第33回	文章を読み取る⑤ …… 90
第30回	文章を読み取る② …… 80	第34回	情報を読み取る① …… 94
第31回	文章を読み取る③ …… 82	第35回	情報を読み取る② …… 98
第32回	文章を読み取る④ …… 86	第36回	情報を読み取る③ …… 102

解答 ……… 106

第1部

1文字から始める基礎トレーニング

Basic Training: Starting with One Character
Luyện tập cơ bản - Bắt đầu từ 1 chữ
आधारभूत प्रशिक्षण: एउटा अक्षरबाट सुरु गरौं

第 1 回　違う文字を探す ①

Finding the Different Characters / Tìm chữ khác biệt / फरक अक्षरहरू खोजौं

問題　違うものを探しましょう。

例　「さ」はいくつありますか。

き	き	き	き	き	き	き	き	き	き
き	き	き	き	き	き	き	き	き	き
き	き	き	き	き	き	き	き	き	き
き	き	き	き	き	㊂	き	き	き	き
き	き	き	き	き	き	き	き	き	き
き	き	き	き	き	き	き	き	き	き
き	き	き	㊂	き	き	き	き	き	き
き	き	き	き	き	き	き	き	き	き

同じ字がたくさん並んでいます。できるだけ早く探してみましょう。

答え **2つ**

目標 **10分**

1　「わ」はいくつありますか。

ね	ね	ね	ね	ね	ね	ね	ね	ね	ね
ね	ね	ね	ね	ね	ね	ね	ね	ね	ね
ね	ね	わ	ね	ね	ね	ね	ね	わ	ね
ね	ね	ね	ね	ね	ね	ね	ね	ね	ね
ね	ね	ね	ね	ね	ね	ね	ね	ね	ね
ね	ね	ね	ね	ね	ね	ね	ね	ね	ね
ね	ね	わ	ね	ね	ね	ね	ね	ね	ね
ね	ね	ね	ね	ね	ね	ね	ね	ね	ね

10

2　「る」はいくつありますか。

3　「け」はいくつありますか。

第1部　1 文字から始める 基礎トレーニング

第2部

第3部

4「ス」はいくつありますか。

ヌ	ヌ	ヌ	ヌ	ヌ	ヌ	ヌ	ヌ	ヌ	ヌ
ヌ	ヌ	ヌ	ヌ	ヌ	ヌ	ヌ	ヌ	ヌ	ヌ
ヌ	ヌ	ヌ	ヌ	ヌ	ヌ	ヌ	ヌ	ヌ	ヌ
ヌ	ヌ	ヌ	ヌ	ヌ	ヌ	ヌ	ヌ	ヌ	ヌ
ス	ヌ	ヌ	ヌ	ヌ	ヌ	ヌ	ヌ	ヌ	ヌ
ヌ	ヌ	ヌ	ヌ	ヌ	ヌ	ヌ	ヌ	ヌ	ヌ
ヌ	ヌ	ヌ	ヌ	ヌ	ヌ	ヌ	ヌ	ヌ	ヌ
ヌ	ヌ	ヌ	ヌ	ヌ	ヌ	ヌ	ヌ	ヌ	ス

5「ワ」はいくつありますか。

ウ	ウ	ウ	ウ	ウ	ウ	ウ	ウ	ウ	ワ
ウ	ウ	ウ	ウ	ウ	ウ	ウ	ウ	ウ	ウ
ウ	ウ	ウ	ウ	ウ	ウ	ウ	ウ	ウ	ウ
ウ	ウ	ウ	ウ	ウ	ウ	ウ	ウ	ウ	ウ
ウ	ウ	ウ	ウ	ウ	ウ	ウ	ウ	ウ	ウ
ウ	ウ	ウ	ウ	ウ	ウ	ウ	ウ	ウ	ウ
ウ	ウ	ウ	ウ	ウ	ウ	ウ	ウ	ウ	ウ
ウ	ウ	ウ	ウ	ウ	ウ	ウ	ウ	ウ	ウ

6 「ソ」はいくつありますか。

ン	ン	ン	ン	ン	ン	ン	ン	ン	ン
ン	ン	ン	ン	ソ	ン	ン	ン	ン	ン
ン	ソ	ン	ソ	ン	ン	ン	ン	ン	ン
ン	ン	ン	ン	ン	ン	ン	ン	ン	ン
ン	ン	ン	ン	ン	ン	ン	ン	ン	ン
ン	ン	ン	ン	ン	ン	ン	ン	ン	ン
ン	ン	ン	ソ	ン	ソ	ン	ン	ン	ン
ン	ン	ン	ン	ン	ン	ン	ン	ン	ン

7 「シ」はいくつありますか。

ツ	ツ	ツ	ツ	ツ	ツ	ツ	ツ	シ	ツ
ツ	ツ	ツ	ツ	ツ	ツ	ツ	ツ	ツ	ツ
ツ	ツ	ツ	ツ	ツ	ツ	ツ	ツ	ツ	ツ
ツ	ツ	ツ	ツ	ツ	ツ	ツ	ツ	ツ	ツ
ツ	ツ	ツ	ツ	ツ	ツ	ツ	ツ	ツ	シ
ツ	シ	ツ	ツ	ツ	ツ	ツ	ツ	ツ	ツ
シ	ツ	ツ	ツ	ツ	ツ	ツ	ツ	ツ	ツ
ツ	ツ	ツ	ツ	ツ	ツ	ツ	ツ	ツ	ツ

第1部 1文字から始める 基礎トレーニング

第2部

第3部

第 2 回

違う文字を探す ②
Finding the Different Characters / Tìm chữ khác biệt / फरक अक्षरहरू खोज्ने

問題 違うものを探しましょう。　　　　⏱ 目標 **10** 分

1　「学」はいくつありますか。

字	字	字	字	字	字	字	字	学	字
字	学	字	字	字	字	字	字	字	字
字	字	字	字	字	字	字	字	字	字
字	字	字	字	字	字	字	字	字	字
字	字	字	字	学	字	字	字	字	字
字	字	字	字	字	字	字	字	字	字
字	字	字	字	字	字	字	字	字	字
字	字	字	字	字	字	字	字	字	字

2　「人」はいくつありますか。

入	入	入	入	入	入	入	入	入
入	入	入	入	入	入	入	入	入
入	入	入	入	入	入	入	入	入
入	入	入	入	入	入	入	入	入
入	入	入	入	人	入	入	入	入
入	入	入	入	入	入	入	入	入
入	入	入	入	入	入	入	入	入
入	入	入	入	入	入	入	人	入

3　「私」はいくつありますか。

払	払	払	払	払	払	払	払	払	払
払	仏	払	払	払	払	払	仏	払	払
払	払	払	払	払	払	払	払	払	仏
払	払	払	払	払	払	払	払	払	払
払	払	払	私	払	払	払	払	払	払
払	払	払	払	払	払	払	払	払	払
払	私	仏	払	払	払	仏	私	仏	払
払	払	払	払	払	払	払	仏	払	払

4　「布」はいくつありますか。

右	右	右	右	右	右	右	右	右	左
左	右	右	右	右	右	右	右	左	右
右	右	右	右	右	右	左	左	布	右
右	右	左	左	右	右	右	右	右	右
右	右	右	右	右	右	右	右	右	右
右	右	左	右	右	左	左	右	右	右
右	左	右	右	右	右	右	布	左	右
右	右	右	右	右	右	右	右	右	右

第1部　1文字から始める 基礎トレーニング

第2部

第3部

5 違うものはいくつありますか。

料理	料理	料理	料理	料理
料理	料理	科理	料理	料理
料理	料理	料理	料理	料理
料理	料理	料理	料埋	料理
料理	料理	料理	料理	料理

6 違うものはいくつありますか。

音楽	音楽	音楽	音楽	音楽
音楽	音楽	音楽	音楽	音楽
音楽	音薬	音楽	音楽	音楽
音楽	音楽	音楽	音楽	音楽
音楽	音楽	音楽	音楽	音楽

7 違うものはいくつありますか。

先生	先生	先生	先生	生先
先生	先生	先生	先生	先生
生先	先生	先生	生先	先生
先生	先生	先生	先生	先生
先生	生先	先生	先生	先生

8 違うものはいくつありますか。

存在	在存	存在	存在	存在
存在	存在	存在	存在	存在
存在	存在	存在	存在	存在
存在	存在	存存	存在	存在
存在	存在	存在	存在	在存

9 違うものはいくつありますか。

名前	名前	名前	名前	名前
名前	名前	名前	名前	名前
名前	名前	名前	名前	名前
名前	名前	名前	名前	名前
名前	各前	名前	名前	名前

目を速く正確に動かせるようになりましょう。
字がたくさん並んでいても、
練習すれば怖くなくなりますよ！

第3回 間違いを見つける ①
Finding the Mistakes / Tìm lỗi sai / गल्तीहरू खोजौं

問題 文字が間違っています。どこですか。

例 ニアさん、この料理め名前は何ですか。

答え ニアさん、この料理め名前は何ですか。
　　　　　　　　　　　↓
　　　　　　　　　　　の

似ている字に気をつけて！

⏱ 目標 **10** 分

1. 田中さんはぬがねをかけています。

2. ベトナムの料理の中で、何がいちばん好さですか。

3. 新しいスマートフォンがはしいです。

4. おなかがすいていたので、にくさん食べた。

5. 今日のパーティーにサロジさんが来るかどうか、れかりません。

6. メイさんは、今日は一日ろすにしています。

7 今日は暑いので、近くのコンビニへ、マイスクリームを買いに行こうと思っています。

8 駅前にはバスとククシーがたくさん止まっていますが、お客さんがあまりいません。

9 タブレットとパリコンのどちらかを買おうと思っていますが、どちらが使いやすいですか。

10 グレンさんのお兄さんは子どものころからずっと野球をしていたそうで、とても速いヌピードのボールを投げる。

11 ウインはブドウから作られるお酒です。日本酒は米から作られるお酒です。

12 タマンさんの身長は、1ナートル80センチあります。タマンさんはスポーツが大好きで、特にバスケットボールをするのが好きだそうです。

> **全体だけでなく1つ1つの字にも注意しながら文を読むことができるようにしましょう。**

第4回 間違いを見つける ②
Finding the Mistakes / Tìm lỗi sai / गल्तीहरू खोजौं

問題 文字が間違っています。どこですか。  目標 10分

① 田中さんと一緒に大阪に出張に行く予定だったが、田中さんの都合が悪くなったので、私が一人で行くことになった。

② 新商品の内容は、詳しいことが決まったらお知らせいたしますので、発表があるまでしばらくお持ちください。

③ スマートフォンは私たちの生活でなくすことができない重用な道具である。通話、写真だけでなく、動画を撮ったり見たりすることができる。メッセージを送ったり受け取ったりすることもできる。スマートフォンは「小さな何でも屋」であると言える。

④ シーボルトは1796年にドイツで生まれました。大学で医著になるための勉強をしました。1822年にインドネシアのジャカルタに行くように言われました。そして次の年、医著として働くように言われて日本の長崎に来ました。

⑤ あしたから、スポーツセンターの利用時間が変わります。今までは午前9時から午後6時まででしたが、あしたからは午前9時から午後8時までになります。合社が終わったあとにも来ることができます。どうぞご利用ください。

20

6 太陽光発電とは、太陽の光を利用した発電のことです。太陽の光を利用した発電は二酸化炭素（CO2）を出さないので、自然にやさしいと言われています。そのため、太陽光発電は世界中で注目されています。

7 梨は、夏の終わりから食べ始め、秋の終わりまで食べることができる果物です。味はとても甘いですが、種類によって甘さは少しずつ違います。梨は約85％が水分で、果物の中でもかなり多いです。梨にはカリウム、ビタミンCなどがたくさん含まれています。カリウムは、体の中で余った水分を外に出す働きがあります。ビタミンCは、風邪になりにくい体にする効果や、肌を美しくする効果があると言われています。

8 私の通っている学校では、掃除は掃除当番の人がすることになっているが、消しゴムを使ったあとの小さいごみや、床に落ちている小さい紙などは、教室にいる学生が自分でごみ籠に捨てるのがいいと思う。そうすることによって、掃除当番の人が掃除を早く終わらせて家に帰ることができるからだ。一人一人の努力によって、クラス全員が楽になるのだから、いいことだと思う。あしたから始めたい。

「違うものに気づく」ということは、読むときに大事なことです。

第5回 間違いを見つける ③

Finding the Mistakes / Tìm lỗi sai / गल्तीहरू खोज्ने

問題 丁寧な文とそうでない文が混ざっています。どこを直せばいいですか。

例
私は、ラーメンを食べるのが好きだ。なぜなら、いろいろな味のラーメンがあるからです。そして、どの味もおいしい。

です？ます？だ？

答え
私は、ラーメンを食べるのが好きだ。なぜなら、いろいろな味のラーメンがある(からです)。そして、どの味もおいしい。
→からだ

⏱ 目標 10分

① 先生に「大事な話があるから授業が終わったら職員室に来てください」と言われました。でも、先生は職員室にいなかった。先生はどこへ行ったのかわかりません。

② 私は昨日、サリナさんとショッピングモールのフードコートでハンバーガーを食べたあと、映画を観ました。サリナさんも「おもしろかった」と言っていた。あしたもサリナさんと会う約束をしている。

③ 部屋に家具や物が多すぎるから整理したい。でもどうやったらいいのでしょうか。自分ではやり方がわからないという人のために、今から上手な部屋の整理のし方をアドバイスしよう。

④ 大通りで何か大きな音がした。遠くから消防車や救急車のサイレンが聞こえてきました。周りにいた人の話によると、トラックとバスがぶつかって、火が出てしまったそうだ。軽いけがをした人が2人いただけで、あとは全員無事だと聞いた。安心したけど、怖かった。

5 働くことは大事だと思います。でも、働く時間が長すぎると、家族や友達と過ごす時間や、自分の時間が減ってしまいます。だから、働く時間が短いほうがいいと思います。家族や友達と過ごす時間や自分の時間も大切にして働きたい。

6 今日は田中先生の授業の日でしたが、山田先生が来ました。そして先生は言いました。「田中先生は今日、風邪で熱が出たので学校に来ることができませんでした。皆さんに今日は課題をしてほしいそうで、課題の内容をメールで連絡してくれました。では今から、課題について説明するね。」

7 日本へ来て生活を始めたとき、同じ国から来た友達がスーパーへ行ってヨーグルトを買いました。それは私の国のヨーグルトの入れ物だったので、うれしくなってすぐ買いました。でも家に帰って友達と私がそれを食べようとしたとき、中を見てびっくりした。入れ物の中に入っていたのは、ヨーグルトではなく液体洗剤だったのです。私の国のヨーグルトのラベルのデザインと、日本の液体洗剤のラベルのデザインが似ていました。私たちは笑いました。

8 笑うことは健康にいいと言われている。笑うことでストレスが減り、心と体が軽くなる。さらに、笑いは病気から体を守る力を高めるそうです。また、笑うことは私たちを幸せな気持ちにしてくれる効果があるとも言われている。だからこそ、毎日の生活の中で、笑うことは大切だと思う。

第6回 仲間外れを選ぶ ①

Which Doesn't Belong? / Chọn từ không cùng nhóm / यहाँ नमिल्ने कुन हो?

問題 [?]に**入らないもの**はどれですか。

例

| えんぴつ　　ボールペン　　[?] |

a. シャープペンシル
b. はさみ
c. 消しゴム

えんぴつとボールペンは
どんなときに使う？

答え **b**

目標 **10**分

1

| 兄　　姉　　[?] |

a. お姉さん　　b. 弟　　c. 娘さん

2

| のど　　耳　　[?] |

a. 目　　b. おなか　　c. 薬

3

| チョコレート　　クッキー　　[?] |

a. ビスケット　　b. マンション　　c. ポテトチップス

4

| 部長　　課長　　[?] |

a. 係長　　b. 社長　　c. 同僚

24

5　朝食　　昼食　　[？]

a. 洋食　　　　b. 夕食　　　　c. 夜食

6　海　　川　　[？]

a. 池　　　　　b. 油　　　　　c. 湖

7　スープ　　サラダ　　[？]

a. サンドイッチ　　b. スパゲッティ　　c. レストラン

8　自転車　　新幹線　　[？]

a. 船　　　　　b. 乗り物　　　c. 飛行機

9　バス　　オートバイ　　[？]

a. パトカー　　b. トラック　　c. トンネル

10　いぬ　　ねこ　　[？]

a. ぞう　　　　b. はがき　　　c. ライオン

第7回 仲間外れを選ぶ ②

Which Doesn't Belong? / Chọn từ không cùng nhóm / यहाँ नमिल्ने कुन हो?

問題 [？] に入らないものはどれですか。

 目標 10分

1 | レジ袋　　コピー機　　[？] |

　a. ジョギングする　　b. 電子レンジ　　c. バス代

2 | 不真面目な　　不愉快な　　[？] |

　a. 不自由な　　b. 不適当な　　c. 不思議な

3 | 氏名　　題名　　[？] |

　a. 地名　　b. 三名　　c. 件名

4 | 場所　　研究所　　[？] |

　a. 事務所　　b. 近所　　c. 短所

5 | スーパー　　コンビニ　　[？] |

　a. ネクタイ　　b. パソコン　　c. パトカー

6 テスト中　電話中　[？]

　a. 会議中　　b. 午前中　　c. 工事中

7 晴れ　雨　[？]

　a. 雪　　b. 星　　c. くもり

8 お弁当　お年寄り　[？]

　a. お礼　　b. お誕生日　　c. お疲れ様

9 去年　昨日　[？]

　a. あさって　　b. 先月　　c. おととし

10 銀行員　会社員　[？]

　a. 郵便局　　b. 音楽家　　c. 歯医者

> 文章に出てくる言葉どうしの関係がわかると、理解しやすくなります。言葉をたくさん覚えて、グループ分けができるようになりましょう。

第8回　図表を読み取る ①

Decoding Symbols & Tables / Đọc hiểu hình minh họa / चिन्ह र तालिकाहरू हेर्न बुझ्ने

問題 図の説明として、よいものはどちらですか。

例
a. ここで飲んだり食べたりしないでください。
b. ここで飲み物や食べ物を買わないでください。

答え　a

目標 10分

1
a. ゴミを捨てないでください。
b. ゴミを持たないでください。

2
a. 左に曲がってください。
b. 左を見てもいいです。

3
a. 歩かないでください。
b. 座らないでください。

28

4
a. ここで靴を脱がないでください。
b. ここで靴を脱いでお入りください。

5
a. 開けたままにしないでください。
b. 閉めたままにしないでください。

6
a. ここでダンスしないでください。
b. 転ばないように気をつけてください。

7
a. 一列に並んでください。
b. 前に立たないでください。

8
a. シャワーを利用してください。
b. 手指の消毒をお願いします。

9

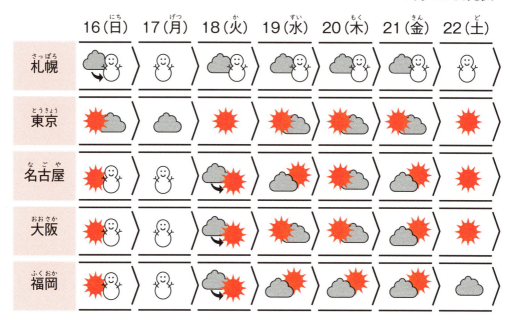

a. 17日は、全国的に雪が降る予想です。
b. 札幌は、毎日雪が降る予想です。

10

くま遊園地　入場者の多い曜日と時間の予想

少ない ←――――――――――――→ 多い

	月	火	水	木	金	土	日／祝
9～12時	👤	👤	👥	👤	👥	👥	👥
12～17時	👤	👥	👥	👤	👥	👥	👥
17～21時	👤	👤	👥	👤	👥	👥	👥

a. 月曜日は一日中入場者が少ない予想である。
b. 金曜日は夜になると人が少なくなるようだから、夜に行くとよい。

選択肢の言葉とイラストの内容を正しく結びつけることができるようにしましょう。

第9回 図表を読み取る ②

Decoding Symbols & Tables / Đọc hiểu hình minh họa / चिन्ह र तालिकाहरू हेरेर बुझ्ने

問題 図表の説明として、よいものはどちらですか。

例

花山駅前自転車駐車場　料金表

	1回（24時間）	1か月
1階	150円	2,400円
2階	100円	1,600円
3階	50円	500円

※この自転車駐車場にはエレベーターはありません。

a. 建物の上の階になればなるほど、料金は安くなる。
b. 3階の1か月の料金は、2階の料金の半分である。

答え a

1階・2階・3階の料金をよく見てみましょう。

目標 10分

1

にし博物館　入場料

	個人（1人）	団体（20人以上）
大人	1,000円	800円
高校生 / 中学生	300円	240円
小学生		

※小学校に入る前の子どもは無料

a. 20人以上で行くと1人の値段が安くなります。
b. 小学生はお金を払う必要がありません。

2 通学の方法

(単位：人)

	日本語学校 A	日本語学校 B	日本語学校 C
歩いて	51	115	223
自転車で	42	78	38
電車で	6	24	169
合計	99	217	430

a. 自転車で通学する学生の数が一番少ないのは、日本語学校 C である。
b. 日本語学校 A は、半分以上の学生が自転車で通学している。

3 意見調査の結果

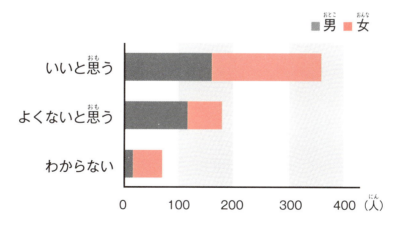

a.「よくないと思う」の人数は、男の人より女の人のほうが多い。
b.「いいと思う」の人数は「よくないと思う」の人数の約 2 倍である。

4   1年間のごみの量

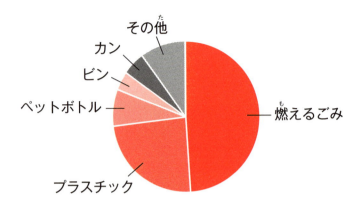

a. 燃えるごみは全体の約半分である。
b. 燃えるごみとプラスチックで全体の4分の3を超える。

5   1か月に使う電気の量の変化

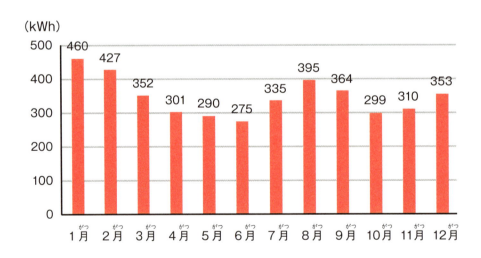

a. 夏と冬に、よく電気を使う。
b. この1年の間に、電気を使うことが多くなった。

6 　　　　　世界でスマートフォンを使う人の割合

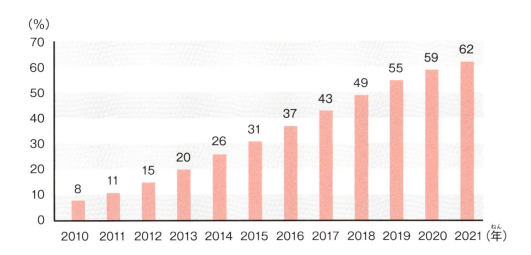

出典：総務省令和4年版情報通信白書データ集「世界におけるスマートフォン普及率の推移」より作成
https://www.soumu.go.jp/johotsusintokei/whitepaper/ja/r04/index.html （2024/8/1 参照）

a. 世界でスマートフォンを使う人の割合は、毎年6％増加している。

b. 世界でスマートフォンを使う人の割合は、前の年より少なくなったことは一度もない。

図や表は、「見ればわかる」と思ってはいけません。
意味を正しくつかむためには読解力が必要です。

第2部
文を読み解く集中トレーニング

Intensive Training: Reading Sentences
Luyện tập tập trung - Đọc hiểu câu văn
गहन प्रशिक्षण: वाक्यहरू पढेर बुझौं

第10回 5W1Hをつかむ ①
Figuring Out the 5W1H / Nắm được 5W1H / 5W1H पत्ता लगाऔं

問題 文を読んで、質問に答えてください。

例 昨日、私はジャンさんと南町公園に行ったのだが、ジャンさんはその場所によく行くそうだ。

Q 南町公園によく行くのは誰ですか。
a. 私   b. ジャンさん

答え **b**

「その場所」はどこ？

目標 **10** 分

1 あとで食べようと思っていたケーキを妹に食べられた。

Q ケーキを食べたのは誰ですか。
a. 私   b. 妹

2 母は兄と姉には自分の店を手伝わせているが、私には手伝わせる気がない。

Q 手伝っているのは誰ですか。
a. 兄と姉   b. 母と私

3 私は、金色の服を着て走っている男の人を見たが、SNSで有名な人だそうだ。

Q 金色の服を着ているのは誰ですか。
a. 私   b. 男の人

4 頭がよくて運動も得意な林さんは、友達の王さんと日本語学校で勉強している。

Q 頭がいいのは誰ですか。
a. 林さん   b. 王さん

5 タマンさんはビニタさんに、ごみの分別に関するクイズを行った。

Q ごみの分別についてのクイズに答えたのは誰ですか。
a. タマンさん   b. ビニタさん

38

6 アカシさんはハシンさんと違って、思ったことを言わずにはいられない性格だ。

   Q 思ったことをすぐ言うのは誰ですか。
   　　a. アカシさん　　　　b. ハシンさん

7 子どもに「パパ、これ買って！」と言われると断ることができない。

   Q 買うことになるのは誰ですか。
   　　a. 子ども　　　　　　b. パパ

8 私は家族と意見が違うとき、家族の言うとおりにすることが多い。

   Q 言うとおりにするのは誰ですか。
   　　a. 私　　　　　　　　b. 家族

9 先月ギランさんと映画館で見た映画が楽しかったフォンさんは、その映画をニャイさんにも見てほしいと言っていた。

   Q 映画が楽しいと思ったのは誰ですか。
   　　a. ギランさん　　　　b. フォンさん

10 森先生が日本の子どもの遊びを教えた留学生は、次の日にそれをしてみたそうだ。

   Q 教えたのは誰ですか。
   　　a. 森先生　　　　　　b. 留学生

11 子どもは「お店の人が作った料理が食べたい」と言って、母親を困らせている。

   Q 困っているのは誰ですか。
   　　a. お店の人　　　　　b. 母親

12 「こんな簡単な問題、ウィンさんが間違えるわけがない」ってヨウさんがリンさんに言っていたよ。

   Q 問題を間違えないと思っているのは誰ですか。
   　　a. ウィンさん　　　　b. ヨウさん

第11回 5W1Hをつかむ ②

Figuring Out the 5W1H / Nắm được 5W1H / 5W1H पत्ता लगाएँ

問題 文を読んで、質問に答えてください。

 目標 10分

1. タンさんは聴解が苦手だ。一方で、読解は得意だ。

   Q 得意ではないのはどちらですか。
   　　a. 聴解　　　　　　　　b. 読解

2. 昨日の夜中から朝までずっと鳴いていた隣のウルジさんの家のニワトリは、次の日も夜中から朝までずっと鳴いていた。

   Q 鳴いていたのはどちらですか。
   　　a. ウルジさん　　　　　b. ニワトリ

3. バスの中からきれいなビルを見て、「いつかあのビルに行ってみたい」と思った。

   Q 何がきれいだったのですか。
   　　a. バス　　　　　　　　b. ビル

4. 成績が優秀なティムさんなら、この学校は合格できるにちがいない。

   Q 「絶対に合格できる」と思っているのはどちらですか。
   　　a. ティムさん　　　　　b. この文を書いた人

5. 市役所に行くのなら、地下鉄じゃなくてバスで行ったほうがいいのに。

   Q この文を書いた人は市役所までどうやって行くのがいいと思っていますか。
   　　a. 地下鉄で行く　　　　b. バスで行く

6. 田中さんは駅でスマートフォンを忘れたのに気づいて、一度家に戻ることにしました。

   Q 田中さんは、今どこにいますか。
   　　a. 駅　　　　　　　　　b. 家

40

7 スーパーでキュウリとトマトを手に取ったが、トマトはまだ家にあったことを思い出して、そのまま棚に置いた。

Q 何を買いましたか。
　　a. キュウリ　　　　　　　　b. トマト

8 サビナさんはラーメン屋とコンビニのアルバイトをしていたが、先月、ラーメン屋のほうは辞めた。

Q サビナさんが今しているアルバイトは何ですか。
　　a. ラーメン屋　　　　　　　　b. コンビニ

9 今日は、昼から夕方にかけて雨が降るそうです。

Q 雨が降るのはどちらですか。
　　a. 昼の前と夕方の後　　　　　b. 昼と夕方の間

10 「広場にごみを捨てる」と「広場でごみを捨てる」では意味が異なる。

Q 捨てようとしている人が広場にいるのはどちらですか。
　　a.「広場にごみを捨てる」　　　b.「広場でごみを捨てる」

11 ニタさんは「暗くなる前に家に帰りたい」と言いました。

Q ニタさんはいつ帰りますか。
　　a. 明るいうちに帰る　　　　　b. 明るくなってから帰る

12 コウさんはランチのときはお弁当を持ってきて会社で食べるが、今日はお弁当を忘れたため、どこかで外食しようと思っている。

Q コウさんは、今日はどこで昼食を取ろうと思っていますか。
　　a. 会社の中で、持ってきたお弁当を食べようと思っている。
　　b. 会社を出て、レストランで昼食を取ろうと思っている。

> 「誰が」「いつ」「どこで」「何をした」ということは、文を理解するときにとても大切な情報です。正しく理解ができるようにしましょう。

第12回　文の意味に合うものを選ぶ ①

Paraphrasing / Chọn câu có cùng nghĩa / एउटै अर्थ बुझाउने वाक्य खोजौं

問題　文の意味に合っているものはどちらですか。

例　学校の先生から電話があった。
　　a. 学校の先生が私に電話をかけてきた。
　　b. 学校の先生に電話をした。

答え　a

電話をかけたのは誰？

目標 10分

1　今週は宿題が多くて、泣きたいほどだ。
　　a. 宿題がたくさんあって、泣いてしまった。
　　b. 泣きたい気持ちになるほど、宿題がたくさんある。

2　アルバイトの面接はあしたの午後2時からあさっての午後3時に変わりました。
　　a. あしたはアルバイトの面接がある。
　　b. あしたはアルバイトの面接がない。

3　銀行のキャッシュカードを探したが、見つからなかった。
　　a. 今、銀行のキャッシュカードがどこにあるかわからない。
　　b. 銀行のキャッシュカードの場所がわかった。

4　私は、インドのプネという町から来ました。
　　a. 私の出身の町の名前は、プネだ。
　　b. 私がインドの町で知っている場所は、プネだ。

5　町の中心にある大きな公園は、ピクニックを楽しむのにとてもいい場所です。
　　a. 町の中心にある公園に行ったら、ピクニックが楽しくなった。
　　b. 町の中心にある公園は、ピクニックをする人が多い。

6 最近は、野菜や肉を売っている薬局がある。
   a. スーパーのように、薬局で野菜や肉が売られている。
   b. スーパーの中に薬局があって、野菜や肉が売られている。

7 この料理は、温かいうちに食べてください。
   a. この料理は、冷たくなる前に食べてください。
   b. この料理は、温かくしてから食べてください。

8 ラナさんはいつも家で食事を作っているが、外に食べに行くことがある。
   a. ラナさんはときどき外食をする。
   b. ラナさんは昔、外食をよくしていた。

9 皆さん、私が言ったとおりに動いてください。
   a. 私が動いてもいいと言ってから、動いてください。
   b. 皆さん、私が言ったのと同じように動いてください。

10 先週スマホを買ったばかりなのに、もう壊れてしまった。
   a. スマホを買ってからすぐに、壊れてしまった。
   b. スマホを買ったときに、壊れていた。

11 田中さんだけでなく山田さんも風邪をひいてしまった。
   a. 田中さんは元気だが、山田さんは風邪をひいてしまった。
   b. 田中さんと山田さんは風邪をひいてしまった。

12 昨日勉強しておけばよかったなあ。
   a. 昨日は勉強しなかった。
   b. 昨日は勉強した。

第13回 文の意味に合うものを選ぶ ②

Paraphrasing / Chọn câu có cùng nghĩa / एउटै अर्थ बुझाउने वाक्य खोज्नु

問題 文の意味に合っているものはどちらですか。  目標 10分

1. 結果は、5月31日までにお知らせいたします。
   a. 5月31日までに結果を相手に教えてもらわなければならない。
   b. 5月31日までに結果がわかる。

2. 仕事で韓国に行くのですが、1日だけ観光することができそうです。
   a. 韓国に着いた次の日に観光をする予定だ。
   b. 韓国に着いてからずっと仕事をするが、観光できる日が1日ある。

3. どんなことでも、勉強すればするほど難しくなっていく。
   a. たくさん勉強したら、難しいことが増える。
   b. 何を勉強したらいいかわからなくて、難しいことばかりだ。

4. 部長、お願いがあるのですが、この仕事を私にさせていただけませんか。
   a. この仕事は部長がしたほうがいいと思っている。
   b. この仕事は私がしたいと思っている。

5. 漢字は難しいが、誰にとっても難しいわけではない。
   a. 漢字を難しくないと思う人もいる。
   b. 漢字を難しいと思う理由は人によって違う。

6. 友達の店がテレビで紹介されたら、たくさんの客が来るようになった。
   a. 友達の店がテレビで紹介されて、客が前より増えた。
   b. 友達の店はたくさん客が来るのでテレビで紹介された。

7 スマートフォンを手に持ったまま、寝てしまった。
   a. スマートフォンを見ようと思っている間に、寝てしまった。
   b. スマートフォンを手に持ちながら、寝てしまった。

8 あれ、今朝、かばんにノートを入れたんだけどなあ。
   a. かばんの中にノートが入っている。
   b. かばんの中にノートが入っていない。

9 熱があるのなら、学校を休んだらどうですか。
   a. 熱があるのなら、学校を休むことができる。
   b. 熱があるのなら、学校を休んでください。

10 ダイエットをしているのですが、体重がなかなか減りません。
   a. ダイエットをしても、あまり体重が減りません。
   b. ダイエットをしなければ、体重は減りません。

11 1日に10分以上、漢字の勉強をするようにしている。
   a. 毎日10分以上、漢字の勉強をすることに決めた。
   b. 毎日10分以上、漢字の勉強をしている。

12 今週末に受験する大学の場所について調べています。
   a. 受験する大学がどこにあるか、調べています。
   b. 受験したい大学があるかどうか、調べています。

> 文章の中で、同じ意味や似たような意味の文が現れることがあります。「こことここは同じだ」と気づけるようになりましょう。

45

第14回 文の意味に合うものを選ぶ ③

Paraphrasing / Chọn câu có cùng nghĩa / एउटै अर्थ बुझाउने वाक्य खोज्नु

問題 文の意味に合っているものはどちらですか。

 目標 10分

1. この時計とあの時計、どっちがいいかなあ。
   a. この人は、どちらの時計にするのがいいか決めることができないようだ。
   b. この人は、時計を2つとも家に忘れてしまったようだ。

2. 先生が「あしたまでにレポートのテーマを決めてほしい」って言ってたよ。
   a. 先生は「あしたまでにレポートのテーマを決めておきます」と言っていた。
   b. 先生は「あしたまでにレポートのテーマを決めてください」と言っていた。

3. あのとき遊ばずに勉強しておくべきだった。
   a. あのとき遊ばないで勉強しておけばよかった。
   b. あのとき遊びに行ってから勉強するほうがよかった。

4. 漢字はどうすればたくさん覚えられるのだろうか。
   a. 漢字をたくさん覚えることができない。
   b. 漢字をたくさん覚える必要はない。

5. これは、忙しいときでもすぐに作れる簡単な料理です。
   a. この料理は作るのに時間がかからない。
   b. 簡単な料理は忙しいときに作るのがいい。

6. 昼ご飯をあんなにたくさん食べなければ、このケーキを食べることができたのに。
   a. 昼ご飯を食べなかったので、ケーキを食べることができる。
   b. 昼ご飯を食べすぎて、ケーキを食べることができない。

7 大雪のため、電車が遅れています。
   a. たくさん雪が降ったので、電車が遅れています。
   b. 雪が降ったかどうかわかりませんが、電車が遅れています。

8 洗剤が目に入った場合はすぐに水で洗い流してください。
   a. 洗剤が目に入りそうになったら、すぐに水で洗い流してください。
   b. 洗剤が目に入ったら、すぐに水で洗い流してください。

9 スマートフォンの充電ができる場所は、ここしかない。
   a. スマートフォンの充電ができる場所は、ここにはない。
   b. スマートフォンの充電ができる場所は、ここだけだ。

10 ダシャンさんが選んだのは、「ビールで乾杯！」という字が大きく書かれているＴシャツでした。
   a. ダシャンさんはビールを買った。
   b. ダシャンさんはＴシャツを買った。

11 部長は部下たちに何でも説明したがる。
   a. 部長は部下たちに何でも説明してほしいと言う。
   b. 部長は部下たちに何でも説明しようとする。

12 友達と電話で話をするとつい２、３時間はしゃべってしまう。
   a. 友達と電話で話をするときは、２、３時間話すことにしている。
   b. 友達と電話で話をすると、２、３時間話していることが多い。

第15回 使い方が違うものを見つける ①
Finding the Different Usage / Tìm từ có cách sử dụng khác / प्रयोग गर्ने फरक तरिका खोजौं

問題 ＿＿＿の**使い方が違うもの**はどれですか。

例
a. 去年の誕生日には時計を<u>あげた</u>。
b. ２階に荷物を<u>あげた</u>。
c. タインさんにチョコレートを<u>あげた</u>。

答え b

目標 **10**分

1
a. 友達になって<u>から</u>もう５年になる。
b. 先に本文を読んで<u>から</u>質問に答えてください。
c. 全員そろった<u>から</u>始めましょう。

2
a. 一生懸命勉強した<u>のに</u>、テストは全然できなかった。
b. この入れ物は野菜を保存する<u>のに</u>便利です。
c. 山の上まで登る<u>のに</u>１時間かかる。

3
a. えんぴつ<u>で</u>書かなければならない。
b. 読ん<u>で</u>感想を言わなければならない。
c. バス<u>で</u>行かなければならない。

4
a. そろそろ休憩をし<u>ても</u>いいのではないだろうか。
b. あしたは雨が降っ<u>ても</u>海に行くつもりです。
c. たとえ疲れてい<u>ても</u>学校の宿題をしなければならない。

5
a. 私は今、ご飯を食べようとする<u>ところ</u>でした。
b. 私は今、宿題が終わった<u>ところ</u>です。
c. 私は今、弁当を作る<u>ところ</u>で働いています。

48

6 a. この間、京都に行ってきた。
b. ビルとビルの間に、小さいレストランがある。
c. 寝ている間に、電話が鳴った。

7 a. アンビカさんは足が速いので誰よりも早く目的地に着きます。
b. アーロンさんは足が大きいので靴を買うのが大変だ。
c. ガネスさんは足をけがしてしまったので、病院に行った。

8 a. 学校の前の道を15分歩くと、アルバイトで働いている店があります。
b. 卒業する皆さん、新しい道に向かってがんばってください。
c. 昨日、駅前の大きな道で交通事故があった。

9 a. 肉は好きですが、魚はあまり好きじゃありません。
b. 今日は朝は晴れますが、そのあと雲が多くなって、夕方には雨が降るでしょう。
c. すみませんが、北山駅にはどうやって行けばいいですか。

10 a. わからないことは先生に聞いたほうがいい。
b. この音楽、聞いたことがあります。
c. 田中さんが会社を辞めることは、さっき聞いたばかりです。

11 a. 家から学校まで歩いて5分もかかりません。
b. この料理の時間はそんなにかかりませんよ。
c. ドアが壊れていて、鍵がかかりません。

12 a. バスに乗って、外の景色をみている。
b. 私が一生懸命描いた絵をみてください。
c. 熱が下がらないなら、医者にみてもらったほうがいいですよ。

49

第16回 使い方が違うものを見つける ②
Finding the Different Usage / Tìm từ có cách sử dụng khác / प्रयोग गर्ने फरक तरिका खोज्ने

問題 _____の使い方が違うものはどれですか。

 目標 10分

1. a. 昨日はお客さんが100人も来たそうですね。
   b. 漢字の宿題がまだ半分もある。
   c. いつもは国の料理を食べますが、日本料理もときどき食べますよ。

2. a. もし時間があるなら、一緒に行ってくれませんか。
   b. お酒を飲むなら、自転車に乗ってはいけません。
   c. 山田さんなら、もう帰りましたよ。

3. a. もっと日本語が上手になりたいと思っている。
   b. 将来は自動車整備士になりたいと思っている。
   c. 彼らは未来のリーダーになりたいと思っている。

4. a. ティンさんは卒業したら国へ帰るらしいです。
   b. 葉の色が変わって、だんだん秋らしい景色になってきた。
   c. その映画は今大人気らしいけれど、私はまだ見ていません。

5. a. 卒業する前に、みんなでパーティーをしませんか。
   b. 図書館の前に、花屋があります。
   c. アルバイトの前に、ちょっとだけ話がしたいんだけど、いい？

6. a. 彼は授業中、寝てばかりいます。
   b. 最近、雨ばかりで嫌ですね。
   c. 昼ご飯は、さっき食べたばかりです。

50

7 a. 政府に反対する人たちの運動があちこちで行われている。
b. 最近、太ってきたので何か運動を始めようと思う。
c. この公園には、運動するための道具がたくさんあるので楽しいです。

8 a. 看板に「頭上注意」と書いてある。
b. この階段は危ないので、注意して上がってください。
c. 話をやめない学生を、先生が注意した。

9 a. 外は明るいので、電気を消してもいいですか。
b. 間違えたら消しゴムで消して、もう一度書きましょう。
c. テレビを消してから寝てください。

10 a. 「これは、次の試験には出ませんよ」と先生が言った。
b. 天気がいいので、外に出ませんか。
c. 休み時間の間、誰も教室から出ませんでした。

11 a. 両親と別れて、今は日本で暮らしている。
b. あの二人は結婚すると思っていたが、最近別れてしまったそうだ。
c. サムさんとは駅で別れて、一人で帰ってきた。

12 a. 苦手な料理を弟の皿にうつす。
b. カメラを横にして写真をうつすのがいいと思います。
c. 誰かに風邪をうつすといけないから、マスクをすることにした。

> 言葉が文の中でどんな意味で使われているのか、
> つかめるようにしましょう。

第17回

文の穴埋めをする ①
Filling in the Blanks / Điền vào chỗ trống trong câu / खाली ठाउँ भर्नु

問題 [?] に入るものはどれですか。

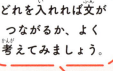

例 仕事は大変ですか。[?]、最近何かおもしろいことはありましたか。

　　　a. だから　　　b. ところで　　　c. しかし

答え **b**

目標 **10**分

1 旅行が大好きです。[?] 外国語が苦手なので少し不安です。

　　　a. だから　　　b. しかし　　　c. または

2 野球の試合で転んで足を骨折した。[?] 今生活をするのがとても大変だ。

　　　a. だから　　　b. しかし　　　c. ところで

3 駅まで行く途中で自転車がパンクした。[?] 電車も遅れて、2時間以上遅刻した。

　　　a. そのうえ　　b. それで　　　c. そこで

4 この試験の解答は、えんぴつ [?] ボールペンで書いてください。

　　　a. だから　　　b. しかし　　　c. または

5 女の人は雨が降り始めたので傘をさしました。[?]、強い風のせいで傘をさして歩くのは大変でした。

　　　a. だから　　　b. しかし　　　c. または

52

6 家を出たときは雨だけ降っていました。[?]風も吹いてきました。風はだんだん強くなってきました。

    a. ところで   b. ところが   c. ところに

7 高橋さんはいつも遅刻する。[?]彼は時間を守れない人だ。

    a. つまり   b. そして   c. ただし

8 ATMでお金を下ろした。[?]25日までに寮の家賃を払わなければならないからだ。

    a. なぜなら   b. それで   c. または

9 日本語学校で日本語の勉強をしました。[?]自動車の専門学校で勉強しました。

    a. だから   b. それで   c. それから

10 田中先生がいたので、「こんにちは」と言った。[?]、田中先生は返事をしないでそのまま歩いて行ってしまった。

    a. ところで   b. ところが   c. ところに

11 日本語の意味がわからなくて困った。[?]、佐藤先生に質問することにした。

    a. それから   b. そこに   c. そこで

12 テストで100点を取れなかったのが悔しかった。[?]、一生懸命勉強した。

    a. そのうち   b. それに   c. それで

第18回 文の穴埋めをする ②

Filling in the Blanks / Điền vào chỗ trống trong câu / खाली ठाउँ भर्नु

問題 [?] に入るものはどれですか。

 目標 **10**分

1 こちらの用紙にお名前とご住所を [?]。
   a. 書きますか　　　　　　　　b. 書いてもよろしいですか
   c. 書いていただけますか

2 家事の中で掃除ほど [?]。
   a. 嫌なものになってしまう　　b. 嫌なものはない
   c. 嫌であると信じている

3 学校の中だけでなく、[?]。
   a. 建物の周りも禁煙です　　　b. あしたもあさっても禁煙です
   c. どの人も禁煙です

4 漢字の読み方がわからないので、[?]。
   a. 調べにくいと思う　　　　　b. 調べたいのですが
   c. 調べないほうがいい

5 今月は、[?] なあ。
   a. 毎日遊んだままだ　　　　　b. 毎日遊んでいそうだった
   c. 毎日遊んでばかりいた

6 私の村は、[?] 川の水が家の近くまで流れてくる。
   a. 大雨が降るたびに　　　　　b. 大雨が降る前に
   c. 大雨が降るかもしれないので

54

7 A「あれ、どうしたの？ さっきからあまり食べていないけど……。」
　B「ええ、実は [?]。」
　　a. 今、食べています　　　　　　b. おなかがとてもすいています
　　c. ダイエット中なんです

8 A「郵便局です。荷物が届いています。サインお願いします。」
　B「[?]。」
　　a. 私もサインお願いします　　　b. 荷物の中にサインがありますか
　　c. すみません、ペンはありますか

9 服のポケットに [?] 洗濯してしまったことがある。
　　a. ティッシュペーパーを使って　b. ティッシュペーパーがあったので
　　c. ティッシュペーパーを入れたまま

10 一生懸命勉強していたら、[?]。
　　a. ３時間かかるかもしれません　b. いつのまにか朝になっていた
　　c. 急に天気がよくなると思っていた

11 毎日、店長が私に [?]。
　　a. 店の掃除をするのがいいそうだ
　　b. 店の掃除をしてほしいと言う
　　c. 店の掃除をしろと思っている

12 子どものとき野菜が嫌いだったが、[?]。
　　a. 毎日母に食べさせられていた
　　b. 毎日母に食べさせていた
　　c. 毎日母に食べさせてもらっていた

> 文と文のつながりや、文の前半と後半のつながりが理解できないと、文章全体の意味がわからなくなります。つながりを意識して読めるようになりましょう。

第19回　文を正しく直す ①

Choosing the Right Wording / Sửa lại câu cho đúng / सही शब्द चयन गर्ने

問題 文が間違っています。正しく直した文はどちらですか。

例 私の趣味は旅行をします。
a. 私の趣味は旅行をすることです。
b. 私の趣味は旅行をすることにします。

答え a

言葉を正しく使って表現できているのはどちらでしょうか。

目標 10分

1 このイベントを準備のはいつですか。
a. このイベントの準備をするのはいつですか。
b. このイベントの準備がするのはいつですか。

2 乗っていた自転車から倒れてけがをしました。
a. 乗っていた自転車が倒れてけがをしました。
b. 乗っていた自転車を倒れてけがをしました。

3 私たちは彼を「キャプテン」と言われています。
a. 私たちは彼を「キャプテン」と思っています。
b. 私たちは彼を「キャプテン」と呼んでいます。

4 私は会社の社長に1回を会ったことがありません。
a. 私は会社の社長に1回だけ会ったことがあります。
b. 私は会社の社長に1回も会ったことがありません。

5 学校が終わってからすぐに家に着くことにした。
a. 学校が終わってからすぐに家に行くことにした。
b. 学校が終わってからすぐに家に帰ることにした。

6 日本語の漢字は覚えるだけないと思います。
 a. 日本語の漢字は覚えるしかないと思います。
 b. 日本語の漢字は覚えるだけでは大変だと思います。

7 もしお金を持っていなかったら、生活に困って犯罪になる可能性がある。
 a. もしお金を持っていなかったら、生活に困って犯人が生まれる可能性がある。
 b. もしお金を持っていなかったら、生活に困って犯罪を起こす可能性がある。

8 今日は私たちにとって、記念な日になりました。
 a. 今日は私たちにとって、記念すべき日になりました。
 b. 今日は私たちにとって、記念だった日になりました。

9 授業中に先生の話を聞かないで、隣の学生と話すばかりしていました。
 a. 授業中に先生の話を聞かないで、隣の学生と話してばかりいました。
 b. 授業中に先生の話を聞かないで、隣の学生と話したばかりです。

10 タクシーを止まると思って手を上げた。
 a. タクシーを止めようと思って手を上げた。
 b. タクシーが止まろうと思って手を上げた。

11 カラオケに行くとストレスが解消になるので、ときどき行く。
 a. カラオケに行くとストレスを解消されるので、ときどき行く。
 b. カラオケに行くとストレスが解消されるので、ときどき行く。

12 アルバイトをしたら、友達の家に行った。
 a. アルバイトをしてから、友達の家に行った。
 b. アルバイトをしているうちに、友達の家に行った。

第20回 文を正しく直す ②

問題 文が間違っています。正しく直した文はどちらですか。

 目標 10分

1. 道にすべってけがをして、血が出てしまいました。
   a. 道をすべってけがをして、血が出てしまいました。
   b. 道ですべってけがをして、血が出てしまいました。

2. 日本に来たばかりのときは、文化や習慣が違いで毎日驚いていました。
   a. 日本に来たばかりのときは、文化や習慣が同じで毎日驚きませんでした。
   b. 日本に来たばかりのときは、文化や習慣が違って毎日驚いていました。

3. 料理が多くて、全部食べ終わったまでに1時間かかった。
   a. 料理が多くて、全部食べ終わるまでに1時間かかった。
   b. 料理が多くて、全部食べ終わるまえに1時間かかった。

4. 東京まで友達と会いに行きました。
   a. 東京まで友達を会いに行きました。
   b. 東京まで友達に会いに行きました。

5. 練習すればすぐに歌うになります。
   a. 練習すればすぐに歌えるようになります。
   b. 練習すればすぐに歌うことになります。

6. 天気予報によると、あしたは晴れると言っていた。
   a. 天気予報によると、あしたは晴れるそうです。
   b. 天気予報によると、あしたは晴れそうです。

[7] 私の国が発展するは、誰にもわからないのではないだろうか。
  a. 私の国が発展するかどうかは、誰にもわからないのではないだろうか。
  b. 私の国が発展するためには、誰にもわからないのではないだろうか。

[8] 私はケーキが好きですが、太いやすいから、たまにしか食べません。
  a. 私はケーキが好きですが、太いしやすいから、たまにしか食べません。
  b. 私はケーキが好きですが、太りやすいから、たまにしか食べません。

[9] 生活のためにお金がかかるので、お金が来る仕事をしなければなりません。
  a. 生活のためにお金がかかるので、お金が入る仕事をしなければなりません。
  b. 生活のためにお金がかかるので、お金ができる仕事をしなければなりません。

[10] 私は人の世話を好きですから、介護士になることも考えています。
  a. 私は人の世話をするのが好きですから、介護士になることも考えています。
  b. 私は人の世話になるのが好きですから、介護士になることも考えています。

[11] おなかがすいて早く食べたいときはご飯が熱くて早く食べることができない。
  a. おなかがすいて早く食べたいときにご飯が熱いと、早く食べることができない。
  b. おなかがすいて早く食べたいとき、ご飯が熱いから早く食べることができない。

[12] びんのふたを一生懸命開けようにしたが、開かない。
  a. びんのふたを一生懸命開くようにしたが、開かない。
  b. びんのふたを一生懸命開けようとしたが、開かない。

> 日本語で書かれた文章が、全て正しく書かれているとは限りません。不自然な文章を見て、正しい意味を予測できるようになることも大切です。

第21回 文を正しく直す ③

Choosing the Right Wording / Sửa lại câu cho đúng / सही शब्द चयन गर्ने

問題 文が間違っています。正しく直した文はどちらですか。

 目標 10 分

1. 私は料理が下手なので、上手に料理ができたい。
   a. 私は料理が下手なので、上手に料理ができるようになりたい。
   b. 私は料理が下手なので、上手に料理ができてほしい。

2. 私の国の服は、日本にたくさん輸出になっています。
   a. 私の国の服は、日本にたくさん輸出させています。
   b. 私の国の服は、日本にたくさん輸出されています。

3. このレストランは、味もいいし、店の雰囲気もいいから、満足する。
   a. このレストランは、味もいいし、店の雰囲気もいいから、満足している。
   b. このレストランは、味もいいし、店の雰囲気もいいから、満足しそうだ。

4. ここでたばこを吸うのは困りになりますから、吸わないでほしいと思います。
   a. ここでたばこを吸うかどうか困るなら、吸わないでほしいと思います。
   b. ここでたばこを吸うのは困るので、吸わないでほしいと思います。

5. 日本語と中国語で同じところは、漢字が使います。
   a. 日本語と中国語で同じところは、漢字を使うところです。
   b. 日本語と中国語で同じところは、漢字を使います。

6. 将来は、たくさんレストランを開くようにしています。
   a. 将来は、たくさんレストランを開けることにしています。
   b. 将来は、たくさんレストランを開きたいと思っています。

7 この学校で過ごしたことは、先生やクラスメートと遊園地に行ったことがとても楽しかった。
　　a. この学校で過ごした中で楽しかったのは、先生やクラスメートと遊園地に行ったことだ。
　　b. この学校で過ごしたあと、先生やクラスメートと遊園地に行ったことがとても楽しかった。

8 試験がなかったら、先生には学生のレベルがどのくらいわからない。
　　a. 試験がなかったら、先生には学生のレベルがどのくらいもわからない。
　　b. 試験がなかったら、先生には学生のレベルがどのくらいかわからない。

9 私はこの学校で話す力が伸びたいです。
　　a. 私はこの学校で話す力を伸ばしたいです。
　　b. 私はこの学校で話す力が伸びてほしいです。

10 インターネットで専門学校の申し込みをしようと思ったが、やり方が忘れた。
　　a. インターネットで専門学校の申し込みをしようと思っても、やり方が忘れた。
　　b. インターネットで専門学校の申し込みをしようと思ったが、やり方を忘れた。

11 もしボーナスがなかったら、私たちの生活はどうなりますかわかりません。
　　a. もしボーナスがなかったら、私たちの生活はどうなるかわかりません。
　　b. もしボーナスがなかったら、私たちの生活はどうすればいいのかわかりません。

12 ひらがな、カタカナ、漢字で混雑している日本語は、勉強するのが大変だと思う。
　　a. ひらがな、カタカナ、漢字で複雑になる日本語は、勉強するのが大変だと思う。
　　b. ひらがな、カタカナ、漢字があって複雑な日本語は、勉強するのが大変だと思う。

第22回 あとに続く文を選ぶ ①

What Follows? / Chọn câu tiếp theo sau / यसपछि के आउँछ?

問題 あとに続く文として、よいものはどちらですか。

例 ソフィアさんと駅で待ち合わせをした。[?]。
　a. ソフィアさんはあした帰るそうだ
　b. ソフィアさんは5分遅れるそうだ

答え **b**

目標 **10**分

1 窓を開けると、富士山が見えた。[?]。
　a. 他にも景色がいいところがあると思う
　b. とてもきれいな景色なので、ずっと外を見ていた

2 家から学校までは歩いて15分ぐらいかかります。[?]。
　a. 授業が始まるのは朝9時です
　b. 自転車で行くと5分ぐらいです

3 今日は雨が降ったので、バーベキューに行けなかった。[?]。
　a. 来月また行こうと思っている
　b. バーベキューに行くことがもっと好きになった

4 飲み終わったペットボトルは、こちらのごみ箱にお入れください。[?]。
　a. ペットボトル以外を入れないでください
　b. ペットボトル以外を入れてください

5 先生は説明する前に「[?]」と言いました。
　a. いいですか。よく聞いてください
　b. 誰か質問がある人はいますか

62

6 電車に乗っている間に、寝てしまった。それで、[?]。

    a. いつも降りる駅で降りることができなかった

    b. 急に、携帯電話が鳴った

7 学校から帰ってきたあと、ご飯を食べます。それから、[?]。

    a. 早く帰ったほうがいいです

    b. すぐにアルバイトに行きます

8 週末にしなければならない宿題がたくさんある。しかし、[?]。

    a. 漢字の宿題が多い

    b. 漢字の宿題はない

9 台風のため、今日乗る船は出ないそうだ。だから、[?]。

    a. 昨日島に行けばよかった

    b. 島に行くのはあきらめることにした

10 会議の内容をまとめたものを書かなければなりません。それに、[?]。

    a. あしたの出張の準備もしなければなりません

    b. 今日は早く帰らなければなりません

11 今日の試合は絶対に勝つと思っていた。しかし、[?]。

    a. 負けてしまった

    b. 負けるしかない

12 あの大学に合格するのは難しいと思いました。それでも、[?]。

    a. 試験の問題は難しかったです

    b. あきらめずにがんばりました

第23回 あとに続く文を選ぶ ②

What Follows? / Chọn câu tiếp theo sau / यसपछि के आउँछ?

問題 あとに続く文として、よいものはどちらですか。

 目標 10分

① 涼しい日が続いていますが、お元気でしょうか。[?]。
   a. こちらは夜になると少し寒いです
   b. 涼しい日に元気なら、とてもいいことです

② 病院で薬をもらった。[?]。
   a. この薬を飲むことについて、どう思いますか
   b. この薬は1日に3回、食後に飲むことになっている

③ 私は、車を運転するときにはめがねをかけることになっている。[?]。
   a. コンタクトレンズでも大丈夫だ
   b. 車だけでなく、電車や飛行機に乗るときは全てそうだ

④ チンさんはマンションの10階に住んでいる。[?]。
   a. チンさんは昨日国へ帰った
   b. そのマンションは新しくて、きれいだ

⑤ 友達が私の悲しい顔を見て、やさしい声で「[?]」と言いました。
   a. 私は、悲しくないよ
   b. 一緒に、がんばろうね

⑥ 今の仕事を続けるか辞めるか迷っている。[?]。
   a. まず友達に相談してみよう
   b. まず仕事を辞めてから考えてみよう

64

7 今日もお疲れ様でした。ところで、[　？　]。
- a. あしたもよろしくお願いします
- b. 今度の週末は何をする予定ですか

8 雨が降ってきた。すると、[　？　]。
- a. ライさんが「この傘、使ってください」と言って傘を貸してくれた
- b. ライさんは傘を持っていなかったので、そのまま雨にぬれながら帰っていった

9 さっきご飯を食べたばかりです。だから、[　？　]。
- a. 今は何も食べることができません
- b. まだ食べることができますよ

10 料理を作っている途中で、調味料が足りないことがわかった。そこで、[　？　]。
- a. 友達に買いに行ってもらった
- b. 料理を作るのを続けた

11 お金は使いすぎずに計画的に使うことが大切です。ただし、[　？　]。
- a. 我慢しないのは、よくないです
- b. ときどき自分が好きなものを買うことは、いいことです

12 雨が降ってきた。そのうえ、[　？　]。
- a. 雨が弱くなってきた
- b. 強い風が吹いてきた

> 「ある文の続きがどうなるのか」を予測することは
> 文章を読むときに大切なことです。
> 予測が上手になるようにしましょう。

第24回

あとに続く文を選ぶ ③
What Follows? / Chọn câu tiếp theo sau / यसपछि के आउँछ?

問題 あとに続く文として、よいものはどちらですか。　目標 10分

1 道がとても混んでいて、海まで行くのに時間がかかった。[？]。
　　a. 日本でも、休みの日はどこかに出かけたい人が多いようだ
　　b. 日本人も海がとても好きだと思う

2 トイレに行ったら、電気がつけっぱなしだった。[？]。
　　a. ルームメートのリエンさんが電気をつけたかったようだ
　　b. ルームメートのリエンさんが電気を消すのを忘れたのだろう

3 部長に、出張でネパールに行くように言われた。[？]。
　　a. たぶん私は、ネパールに行かなくてよさそうだ
　　b. 部長はネパールに行かないそうだ

4 寝る前に部屋で静かにしていると、心が落ち着きます。[？]。
　　a. ときどき、家の外から風の音がすることがあります
　　b. ときどき、家の外から変なにおいがすることがあります

5 母が、私が作った料理を食べて「[？]」とほめてくれました。
　　a. おいしいね。これ、お店で売れるよ
　　b. もっとおいしい料理が作れるよ

6 「いつも友達と過ごしているね」とよく言われます。[？]。
　　a. 友達と過ごしたあと、いつも一人になります
　　b. 友達と過ごす時間こそ、私にとっては大切なものだと思うからです

66

7 初めてのデートは水族館に行くのがよいだろうか。それとも、[？]。

    a. 映画館に行くのがよいだろうか
    b. 水族館までの行き方を調べたほうがよいだろうか

8 あしたは朝早く起きるんですね。それなら、[？]。

    a. カーテンを閉めておくといいですね
    b. 今日は早く寝なければなりませんね

9 給料日の前になると、買い物をするためのお金がなくて困っていた。だから、[？]。

    a. 冷蔵庫にあるもので料理をしなければならなかった
    b. 給料日まで毎日働かなければならなかった

10 友達が「店を始めるけどお客さんがいないとさびしいから来て」と言った。ところが、[？]。

    a. 実際に行ってみると待っている人がたくさんいて店に入れなかった
    b. 私はさびしくないので行かなかった

11 このレストランではピアニストがピアノを弾く日があります。また、[？]。

    a. ピアノを弾かない日もあります
    b. 歌手が歌を歌う日もあります

12 計画や準備に時間をかければかけるほど、人間はいい結果を残すことができる。つまり、[？]。

    a. いい結果を残すことが大切だ
    b. 計画や準備をすることは大切だ

第25回

文を並べ替える ①
Identifying the Right Order / Sắp xếp câu / सही क्रममा राख्ने

問題 最もよい順番に並べ替えてください。

例
a. 雪は柔らかくて、冷たいけれど気持ちがよかった。
b. 雪は生まれて初めて見た。
c. 暖かい服を着て外に出てみた。
d. ある冬の日の朝、窓の外は雪の世界になっていた。

答え d→b→c→a

d. ある冬の日の朝、窓の外は雪の世界になっていた。b. 雪は生まれて初めて見た。c. 暖かい服を着て外に出てみた。a. 雪は柔らかくて、冷たいけれど気持ちがよかった。

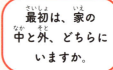
最初は、家の中と外、どちらにいますか。

🕐 目標 **12** 分

1
a. コピー機ですが、他のこともすることができます。
b. また、コンサートやスポーツの試合のチケットを印刷することもできます。
c. 例えば、スマートフォンで撮った写真を印刷することができます。
d. コンビニエンスストアにコピー機があります。

2
a. サメの仲間は500種類以上いますが、そのほとんどは優しい性格です。
b. サメといえば怖いイメージがあります。
c. だから、サメが人を食べるということはほとんどありません。
d. 皆さんは、サメにどんなイメージを持っているでしょうか。

3
a. 「ああ、これは『きつえんじょ』と読みます。」
b. 「『たばこを吸う場所』という意味です。たばこはここで吸ってください。」
c. 「すみません、この漢字は何と読みますか。」
d. 「そうですか。わかりました。ありがとうございます。」

4
a. 警察は、鍵を2つにしてくださいと言っている。
b. 最近、自転車の泥棒が増えているそうだ。
c. お金がかかるけど、鍵を2つにしようと思う。
d. 鍵を2つにすると自転車を盗むのに時間がかかるので、泥棒が盗むのをあきらめることが多いそうだ。

5
a. 一方で、賞味期限は「おいしく食べることができる期限」である。
b. 消費期限は「安全に食べることができる期限」という意味だ。
c. この二つはどう違うのだろうか。
d. 食べ物には、消費期限と賞味期限がある。

6
a. 留学しなくても外国語が上手になるでしょうか。
b. やる気があれば、留学はしてもしなくても外国語が上手になると思います。
c. この疑問に対して、「はい」と言う人と「いいえ」と言う人がいます。
d. ただ、どちらの意見でも、「自分でがんばって勉強しよう」という気持ちが大事です。

7
a. しかし、入試で面接を受けることになったら、どうしますか。
b. 練習をすることによって、苦手な気持ちが減る人が多いからです。
c. 面接は苦手な人が多いと思います。
d. たぶん、練習をする人が多いのではないでしょうか。

8
a. 納豆も同じで、全ての日本人が好きなわけではないのだ。
b. 外国には、「どうしてそんなものを食べるの?」と思う食べ物がある。
c. そのようなものは、その国でも好きか嫌いかが分かれることが多い。
d. 例えば、日本で言えば納豆だ。

69

第26回　文を並べ替える ②
Identifying the Right Order / Sắp xếp câu / सही क्रममा राख्नुँ

問題 最もよい順番に並べ替えてください。

 目標 12分

1.
   a. 映画を見たあとは、その映画について友達と話すことが好きです。
   b. 特にアクション映画が好きです。
   c. 私の趣味は映画を見ることです。
   d. アクション映画を見ると、気持ちがすっきりします。

2.
   a. 車がとてもゆっくりとした速さで、私のいるところに近づいてきた。
   b. そして車が止まるときに、音が鳴った。
   c. カナルさん、お金をためて車を買ったそうだ。
   d. 運転している人を見たら、昔日本語学校で一緒に勉強していた、カナルさんだった。

3.
   a. 緑のりんごもあります。
   b. 皮をむいて食べることができるし、鍋で砂糖と一緒に煮てジャムにして食べることもできます。
   c. りんごは、赤くて丸い果物です。
   d. りんごのジャムはとてもおいしいです。

4.
   a. 雲には、雨を降らせる雲と、そうではない雲があります。
   b. 雨雲が長い時間、同じ場所にあると、その場所ではずっと雨が降り続きます。
   c. その結果、川の水が多くなりすぎて私たちの住んでいるところに流れてくることがあります。
   d. 雨を降らせるほうを雨雲といいます。

5 a. そして「私たちの学校はこのような学校です」ということを説明します。
   b. 「オープンキャンパス」という言葉を知っていますか。
   c. さらには学校の中を案内したり、体験授業をしたりします。
   d. 進学をしたい人に、実際に学校に来てもらうイベントです。

6 a. チョコレートによって違いますが、約20℃以上になると溶けると言われています。
   b. チョコレートは温かい場所に置いておくと、溶けてしまいます。
   c. 溶けてしまうのは、チョコレートの中にバターやマーガリンなどが入っているからです。
   d. 夏にチョコレートを買ったときは、溶けないように気をつけましょう。

7 a. 先生はキムさんを見て「大丈夫ですか」と言った。
   b. キムさんは「もうだめです」と言ったあと、動けなくなってしまった。
   c. 先生はすぐに電話で救急車を呼んだ。
   d. 授業中、キムさんが「先生、おなかが痛いです」と言った。

8 a. それには「おもしろそうだ。行ってみよう」という気持ちにさせることが大切です。
   b. それだけでなく、ポスターやチラシなどを使って伝えることも大事です。
   c. 例えば、SNSを使って多くの人に伝えることが必要でしょう。
   d. イベントで大事なことは、人を集めることです。

> 並べ替えには文の内容から前後関係を考えることが大切です。
> また、つなぐ言葉（「例えば」「つまり」など）が
> ヒントになります。しっかり覚えましょう。

第27回　余りを選ぶ ①

Which Isn't Needed? / Chọn phần câu thừa / यहाँ कुन चाहिँदैन?

問題　1つだけ、**なくてもいい文**があります。どれですか。

例 a. 夜、空を見るとたくさんの星が見えます。b. 星の光は、人工的な光とは全然違います。c. そして、街灯などが少ない場所で見ると、その数の多さに驚くでしょう。d. 星を見ることで、自然の大きさと、人間の小ささを感じることがあるかもしれません。e. だから私たちは、毎晩星を見ています。

答え e

急に「私たち」の話になった？

目標 12分

1 a. 図書館にはいくつかの規則がある。b. 小さい声なら話してもいいが、大きい声で話してはいけない。c. 携帯電話で話してはいけない。d. 話すときは外へ行かなければならない。e. 食べ物を食べたり飲み物を飲んだりしてはいけない。f. 本を読みながら寝てはいけない。

2 a. 日本に来て2か月がたちました。b. 学校は宿題が多くて大変ですが、他の国の友達もできたので楽しいです。c. 昨日、初めてテストがありました。d. 友達は遅刻したのでテストを受けることができませんでした。e. 私はテストがあるのを知りませんでしたが、毎日勉強していたので全部答えることができました。

3 a. 日本人は刺身や寿司など、生の魚を食べることで知られていますが、生ものを食べるのは、日本人だけではありません。b. メキシコやペルーでは、「セビチェ」と呼ばれる、魚を生で食べる料理があります。c. タイには「ラープ」と呼ばれるひき肉のサラダがありますが、ひき肉は生で食べる場合もあります。d. その他、世界には生ものを使った料理がたくさんあります。e. もちろん、焼いて食べる料理、煮て食べる料理もたくさんあります。

72

4 a. 週末にカキを食べに行って以来、おなかの調子が悪いんです。b. 友達が「カキを食べに行こう」と言ったので、一緒に行きました。c. 友達とたくさん話しました。d. カキはおいしかったのですが、食べすぎたのかもしれません。e. 心配なので、今日、病院に行こうと思います。

5 a. 日本の人々はいつも笑顔を忘れないですね。b. 外国人の私から見ると、日本の人々はいつも忙しそうだなと思います。c. みんな学校や仕事で大変なのだろうと思います。d. 彼らがいつもがんばっている姿を見ると、とても感心します。e. でも、私は彼らがもっと休んで、生活を楽しむことも大切だと思います。

6 a. 皆さんにとって、公園はどんな場所でしょうか。b. ある人にとっては遊ぶための場所、別の人にとっては自然を感じる場所かもしれません。c. でも、どんな人にとっても同じことは、のんびりとした時間を過ごせることではないでしょうか。d. 公園で1分だけ過ごして帰る人はいないと思います。e. 1分というのは短い時間です。f. もしかしたら5分で帰る人がいるかもしれませんが、その人にとっては5分は大事な時間で、リラックスをするために公園に来たのかもしれません。

7 a. 私はたこ焼きが好きです。b. たこ焼きは、外側は少し硬くて、内側はとてもやわらかいです。c. 私はお好み焼きも好きです。d. 中に入っているたこもおいしいです。e. かつおぶしや青のりもお気に入りです。f. また、ソースやマヨネーズをかけて食べるのもおいしいと思います。

8 a. 「二度寝」という言葉がある。b. しかし、「一度寝」という言葉はない。c. 朝、一度目が覚めたけど、そのままもう一度寝てしまうことだ。d. 休みの日にこれをすると、とても気持ちいい。e. 気づくと昼になっていることもある。f. しかし、授業のある日にこれをするととても大変なことになる。

第28回 余りを選ぶ ②

問題 1つだけ、**なくてもいい文**があります。どれですか。

目標 12分

1. a. 電車に乗るときに必要なお金を運賃という。b. 大人も子どもも運賃を払わなければならない。c. 子どもでも、小学校に入るまでは運賃を払う必要がないことが多い。d. 小学校に入ってから卒業するまでの間は、大人の半分の金額を払う。e. 小学生は電車によく乗る。f. 中学生になったら、大人と同じ金額を払う。

2. a. 昔の日本人の食事と今の食事を比べると、今は、食べる米の量が半分以下になったそうだ。b. 米ではなくパンを食べる人が増えたためらしい。c. 私は日本に来て、パンのおいしさに感動した。d. 日本人の友達も、パンが好きだと言っていた。e. だから、食事のときにパンを食べる人が多くなったのはわかる気がする。

3. a. うれしいことが起きて「運がいい」と思ったり、急に幸せな出来事が起きたりしたことはありますか。b. こういうときに使う言葉として、日本語では「犬も歩けば棒に当たる」という表現があります。c. 犬と散歩すると、犬が何かに当たるかもしれません。d. 「棒に当たる」という言葉を見て「痛い。運が悪い」という意味だと思ってしまうかもしれません。e. 実は、昔は「何かをしようとすれば、悪いことも起きる」という意味で使っていました。f. しかし、その意味で使う人は今は少ないです。

4. a. 運動すると、気持ちがいいですね。b.「ラジオ体操」は、約100年前から日本で行われている体操です。c. 1928年に「国民保健体操」という名前で始まりました。d. それからラジオで放送されてたくさんの人に知られるようになりました。e. だから「ラジオ体操」という名前のほうが有名です。f. 日本では小学校や会社で「ラジオ体操」をすることがあります。

⑤ a. 日本人はお土産を渡すとき、個包装のものを渡すことが多いです。b. 例えばクッキーの場合、1枚ずつ袋に入っています。c. これが個包装です。d. 個包装は中の物が壊れにくいといういい点もありますが、その分プラスチックなどをたくさん使うので、よくない点もあります。e. これからは、個包装のお土産を選んでみてはいかがですか。

⑥ a. 今私が興味を持っているのは、「自動運転技術」である。b. 人間が運転する代わりに、コンピューターが運転をしてくれるものである。c. ただし、全ての運転をするのではない。d. コンピューターによって、自動的になった部分は多い。e. 高速道路では人間の代わりに運転してくれるが、町の中では自分で運転する必要がある。f. しかし、前の車にぶつかりそうになったとき、自動的に止まる機能がある。

⑦ a. 私は絵を描くことが好きです。b. 私たちの脳は、言葉や計算が得意な左脳と、絵や音楽が得意な右脳に分かれています。c. 仕事や勉強で左脳ばかり使っていると疲れてしまいます。d. そのため、絵を描いたり、芸術作品を見たりすることで脳のバランスがよくなるそうです。e. そうすることでリラックスすることもできるそうです。f. 勉強で疲れている人は、何でもいいから絵を描いてみるといいかもしれません。

⑧ a. 手品を見ると、不思議な気持ちになりますね。b. 手品をする人は楽しそうですが、見る人は楽しいかどうかわかりません。c. 手の上にあったコインが急になくなったり、前に見たカードと同じカードが別の場所から出てきたりします。d. でも手品は魔法ではありません。e. 実は練習すれば誰でもできるようになるのです。

> 段落には、一つの考えがまとまっています。
> 別の考えが混じることはありません。
> 文章のまとまりを考えながら読めるようになりましょう。

第3部

文章・情報を読む
応用トレーニング

Applied Training: Reading Passages & Information
Luyện tập ứng dụng - Đọc đoạn văn, thông tin
प्रयोगात्मक प्रशिक्षण: अनुच्छेद र जानकारीहरू पढौँ

第29回 文章を読み取る ①
Deciphering Passages / Đọc hiểu đoạn văn / अनुच्छेदको अर्थ बुझ्ने

問題 文章を読んで、質問に答えてください。

① 昨日図書館で川本さんに会った。川本さんに話しかけようとしたら、川本さんの隣にいた人に「図書館だから静かに」と言われた。あとでその人が誰なのか川本さんに聞いてみたら、川本さんの友達の石井さんだった。

Q「静かに」と言ったのは誰ですか。
　a. 私　　　　　b. 川本さん　　　　c. 石井さん

② ライ「アランさん、またコンビニでチキン買ってる。ジュースを買いに行くって言ってたのに。」

ザカリヤ「アランさんは本当に好きですね。毎日買っているような気がします。本当に毎日買っているか、あとでアランさんに聞いてみましょう。」

Q アランさんが好きなのは何ですか。
　a. ジュース　　b. チキン　　　c. コンビニ

③ 切符を買っている間に乗りたい電車が行ってしまって、約束の時間に遅れたことがある。中学生のときから「切符を買わずに電車に乗れたらどんなに便利だろう」と思っていた。でも、<u>それ</u>は実現した。ＩＣカードで電車に乗れるようになったのだ。

Q それは何ですか。
　a. 切符を買っている間に乗りたい電車が行ってしまったこと
　b. 約束の時間に遅れたこと
　c. 切符を買わずに電車に乗ること

4 久しぶりに山に遊びに来た。森の中を歩くことは気持ちがいい。小さな川を流れる水の音や、鳥の声が聞こえてくる。木や葉のにおいもする。とてもいい気分になる。

Q 筆者は何が気持ちいいと言っていますか。
a. 森の中を歩くこと
b. 鳥に会うこと
c. 木や葉を見ること

5 「行けたら行く」という表現は、文法は簡単なのに意味は難しい。「行きたい」という強い気持ちがなく、本当に行けるかどうかわからないときに使う。だから、日本人を何かに誘ったとき「行けたら行くね」と言われたら、「たぶん来ないだろう」と思ったほうがいい。

Q この文章の内容に合うものはどれですか。
a. 「行けたら行く」という表現は、「たぶん行けないだろう」という気持ちを表す。
b. 「行けたら行く」という表現は、「行きたくない」という気持ちを表す。
c. 「行けたら行く」という表現は、思っているよりも文法的に難しい。

6 ABC日本語学校は、3年前にできた新しい日本語学校だ。そこには100人の留学生がいて、毎日日本語を勉強している。そのうちの半分は卒業後、専門学校に進学する。残りの半分のうちの半分は、大学に進学する。残りは日本の会社に就職するか、国へ帰る。

Q この文章の内容に合うものはどれですか。
a. ABC日本語学校の留学生は卒業後、全員専門学校に進学する。
b. ABC日本語学校の留学生の4分の1は卒業後に大学に進学する。
c. ABC日本語学校の留学生の4分の1は卒業後に国へ帰る。

第30回 文章を読み取る ②
Deciphering Passages / Đọc hiểu đoạn văn / अनुच्छेदको अर्थ बुझ्ने

問題 文章を読んで、質問に答えてください。  目標 10分

1. キャンセルする場合は、宿泊する予定の日の2日前までにお願いします。宿泊する前日と宿泊する当日にキャンセルしますと、キャンセル料がかかります。

   Q キャンセルするときはいつまでにするといいですか。
   a. 宿泊する時間まで
   b. 1日前まで
   c. 2日前まで

2. チチカカ湖は南アメリカにある湖である。2つの部分に分かれていて、北西の大きいほうはチュクイト湖、南東の小さいほうはウイニャイマルカ湖と呼ばれる。湖の中にはたくさんの種類の魚がいて、湖の周りで生活する人々にとってとても大切な食べ物である。

   Q この文章の内容に合うものはどれですか。
   a. チチカカ湖は南アメリカにあり、大きな湖が2つある。
   b. 南アメリカの北西と南東にそれぞれ湖がある。
   c. チュクイト湖とウイニャイマルカ湖の2つを合わせてチチカカ湖という。

3. 彼は料理を作り始めた。作り始めてから、調味料が1つ足りないことに気づいた。でも買いに行くと家族を待たせることになるので、そのまま作り続けた。彼にとっては少し満足できない味になったが、家族は全員「おいしい」と言ってくれた。

   Q 彼が料理を作り続けたのはなぜですか。
   a. 調味料が1つ足りないことに気づいたから
   b. 料理ができあがるのが遅くなるから
   c. 満足できない味になったから

4　解体業という仕事がある。機械を使って建物を壊し、壊したあとのコンクリートや木材をトラックに載せて運ぶ仕事だ。最近、解体業の仕事をする外国人が増えてきた。作業員全員が外国人であることも珍しくない。それは、解体の仕事をする日本人が減っているからである。

Q 作業員全員が外国人であるのはなぜですか。
　a. 解体業という仕事があるから
　b. 機械を使って建物を壊す仕事があるから
　c. 解体の仕事をする日本人が減っているから

5　夏に採れる野菜のことを夏野菜という。例えば、ナス、キュウリ、トマトなどがある。夏野菜は水分が多いのが特徴である。そして、疲れを取って元気にさせる栄養成分が入っている。夏に元気がない人は、できるだけ多くの夏野菜を食べるのがいいのではないだろうか。それによって、暑い夏も元気に過ごすことができるだろう。

Q それは何ですか。
　a. 夏野菜は水分が多いこと
　b. 夏野菜を多く食べること
　c. 夏を元気に過ごすこと

6　ある日、クマルさんは湖の周りを歩いていました。とても景色のいい湖です。風が吹いていて、遠くからは鳥の鳴き声が聞こえてきます。クマルさんは自然を感じることで、新鮮な気持ちになることができました。

Q この文章の内容に合うものはどれですか。
　a. クマルさんは景色のいい湖が好きだ。
　b. クマルさんは気分よく散歩することができた。
　c. クマルさんには自然を感じることが大切だ。

第31回　文章を読み取る ③

Deciphering Passages / Đọc hiểu đoạn văn / अनुच्छेदको अर्थ बुझ्ने

問題 文章を読んで、質問に答えてください。  目標 **10** 分

1　　フォンさんは弁当の工場でアルバイトをしている。フォンさんは肉や野菜を使って料理したものを弁当箱に入れたり、完成した弁当の箱に変なものが入っていないかチェックしたりする仕事をしている。
　　フォンさんは料理に興味があるので、この仕事は楽しい。他のアルバイトの人とも仲良く働いているので、何も不満な点はない。しかし、大変なことがある。それはずっと立っていることだ。休み時間以外、ずっと立って仕事をしなければならない。これがフォンさんにはとても大変なのだ。
　　[　　]フォンさんにとって大変なのは、髪の毛だ。フォンさんは髪の毛が長いので、髪の毛を白いぼうしの中に全て入れなければならない。それにいつも時間がかかるのだ。他の人より早く来て、髪の毛をぼうしの中に入れている。
　　そこでフォンさんはある日、髪の毛を切ることにした。長い髪が好きだったが、それよりも今のアルバイトは料理のために役に立つ。あした、髪の毛を切りに行くつもりだ。

Q1 フォンさんはどんなアルバイトをしていますか。

　a. フォンさんは弁当の工場で料理をするアルバイトをしている。
　b. フォンさんは弁当の工場でぼうしを白くするアルバイトをしている。
　c. フォンさんは工場でできあがった弁当をチェックするアルバイトをしている。
　d. フォンさんは弁当の工場で弁当の箱を作るアルバイトをしている。

Q2 [　　　] に入る言葉はどれですか。

　a. そして
　b. それから
　c. なぜなら
　d. さらに

Q3 この文章の内容に合うものはどれですか。

　a. フォンさんはアルバイトを始めて1年たった。
　b. フォンさんはアルバイトをやめようと思っている。
　c. フォンさんにとってアルバイトは大変だが、満足している。
　d. フォンさんは髪の毛を切った。

2 たまねぎは、普通のたまねぎと、「新たまねぎ」と呼ばれるものの2つに分けることができる。たまねぎは3月〜5月に収穫するが、普通のたまねぎはしっかりと皮を乾かし、常温で長い間保存が可能な状態にしてある。だから、普通のたまねぎをそのまま部屋に置いておいても悪くなることはない。

　[　①　]、新たまねぎは温暖な地域で3月〜4月に収穫され、乾燥させずにそのまま店に並ぶ。そのため、一年中食べられるわけではない。また、悪くなりやすい。買ったらできるだけ早く食べたほうがよい。

　新たまねぎのほうが、一年の中で食べることができる期間が限られているため、栄養成分に違いがあると感じる人がいるかもしれないが、普通のたまねぎも新たまねぎも栄養成分に違いはない。違いを挙げるとすれば、水分の量だろうか。[　②　]のほうが水分が多いため、甘さを感じやすい。また水分が多いため、悪くなりやすいとも言える。

Q1 [①] に入る言葉はどれですか。

　a. いっぽうで
　b. それから
　c. だから
　d. さらに

Q2 [②] に入る言葉はどれですか。

　a. 水分
　b. 栄養成分
　c. たまねぎ
　d. 新たまねぎ

Q3 普通のたまねぎと新たまねぎについて、この文章を書いた人はどう説明していますか。

　a. 普通のたまねぎより新たまねぎのほうがたくさん栄養がある。
　b. 新たまねぎより普通のたまねぎのほうがたくさん栄養がある。
　c. 普通のたまねぎも新たまねぎも、同じ栄養を持っている。
　d. 普通のたまねぎも新たまねぎも、全然栄養がない。

第32回　文章を読み取る ④

Deciphering Passages / Đọc hiểu đoạn văn / अनुच्छेदको अर्थ बुझ्ने

問題　文章を読んで、質問に答えてください。

　目標 10 分

1　スティールパン（steelpan）とは、カリブ海にある島国のトリニダード・トバゴ共和国で発明された打楽器である。ドラム缶をハンマーでたたいて、大きくて深い皿のような形に変形させて作る。棒でたたくと、鉄の板とは思えない美しい音がする。たたく場所によって音の高さを変えることもできる。

　この打楽器は、「スティールパン」という名前が一般的だが、「スティールドラム（steel drum）」とも呼ばれることもあるそうだ。日本語では「ティ」を「チ」と発音することもあるので、「スチールパン」とも言われる。

　スティールパンは工場で大量に作るのが難しい。高い音や低い音を正確に出せるようになるまでに何度も調整しなければならないからである。そのため、スティールパンは技術と経験のある職人によって1つ1つ手作りされている。

Q1 スティールパンの説明で正しいものはどれですか。

a. スティールパンとは、棒を使ってたたく楽器である。
b. スティールパンとは、鉄の板を使ってたたく楽器である。
c. スティールパンは、ハンマーのような形をした楽器である。
d. スティールパンは、カリブ海だけで使われている楽器である。

Q2 スティールパンの呼び方について、正しいものはどれですか。

a. 日本では「スティールパン」と呼ぶのが一般的な言い方である。
b. 日本では「スティールドラム」と呼ぶのが一般的な言い方である。
c. 日本では「スチールパン」と呼ぶのが一般的な言い方である。
d. 日本では「スティールパン」と呼ぶか「スチールパン」と呼ぶか決まっていない。

Q3 スティールパンを作ることについて、正しいものはどれですか。

a. スティールパンは、高い技術と経験を持った人が工場で大量に作っている。
b. スティールパンは、工場で職人が手作業でたくさん作っている。
c. スティールパンは、一度にたくさん作ることができない。
d. スティールパンは鉄でできているので、作るときに力が必要である。

2　奈良には鹿がいる。公園や道路を自由に歩いている。山の中でもない場所、動物園でもない場所に鹿がいるのを初めて見ると、驚くだろう。

　観光客にとっての楽しみの一つが、鹿にえさをあげることだ。ただし、何でも食べさせていいのかというとそうではなく、「鹿せんべい」というものしかあげることができない。これは奈良県のルールなので注意しなければならない。

　「鹿せんべい」は、米ぬかと小麦粉と水を混ぜて焼いたクッキーのようなものである。人間が食べることもできるが、何も味がしないのでおいしくない。鹿は普段は草やドングリを食べるので、鹿にとっても重要な食べ物ではない。[　　　]、草やドングリだけではおなかがいっぱいにならないそうで、おなかをいっぱいにするために鹿せんべいを食べるのである。

　つまり、人間にとっては動物にえさをあげるという楽しみがあり、鹿にとってはおなかいっぱい食べるという楽しみがあるのだ。

Q1 この文章の内容に合うものはどれですか。

a. 日本のいろんな場所で、鹿が公園や道路を自由に歩いている。
b. 奈良にいる鹿には、観光客はいろいろな食べ物をあげることができる。
c. 「鹿せんべい」はおいしくないので人間は食べることができない。
d. 奈良にいる鹿は、いつもは草やドングリを食べるが、鹿せんべいも食べる。

Q2 [　　] に入る言葉はどれですか。

a. だから
b. しかし
c. そして
d. それから

Q3 どうして鹿は「鹿せんべい」を食べるのですか。

a. 鹿にとって重要な食べ物だから
b. 草やドングリだけでは食べ物の量が十分ではないから
c. 人間があげることができるのが「鹿せんべい」だけだから
d. クッキーのような食べ物でおいしいから

第33回

文章を読み取る ⑤
Deciphering Passages / Đọc hiểu đoạn văn / अनुच्छेदको अर्थ बुझ्ने

問題 文章を読んで、質問に答えてください。

 目標 **10**分

1　　A市には地下鉄がある。一番初めにできた1号線を利用する人が多い。2015年には、最も乗客が多い区間であるB駅〜C駅の間の、朝の通勤時間の混雑率（乗客の割合）が250％を超えていた。これは定員（安全に電車に乗ることができる人数）を100人とした場合、それよりも150人も多い人が電車に乗っていることを表す。この状態だと手も足も動かない。だからスマートフォンを使うこともできない。

　　しかし、2019年に4号線が新しくできてC駅まで行けるようになったあとは、4号線を利用する人が増えたので、混雑率は180％程度まで下がった。この状態であれば、他の人の体が自分の体に当たってしまうが、スマートフォンは使うことができる。そして、2023年に4号線がC駅より先に行けるようになったり、他の路線が便利になったりしたことから、現在は混雑率が140％程度になっている。

Q1 2015年のB駅〜C駅間の、朝の通勤時間の混雑率についての説明で正しいものはどれですか。

　a. 定員を100人とした場合、250人乗っていたことになる。
　b. 定員を100人とした場合、150人乗っていたことになる。
　c. 定員を100人とした場合、100人乗っていたことになる。
　d. 定員を100人とした場合、50人乗っていたことになる。

Q2 この状態とは何を表していますか。

　　a. 定員を100人とした場合、それより180人多い状態
　　b. 定員を100人とした場合、それより120人多い状態
　　c. 定員を100人とした場合、それより80人多い状態
　　d. 定員を100人とした場合、それより20人多い状態

Q3 2019年の路線図はどれですか。

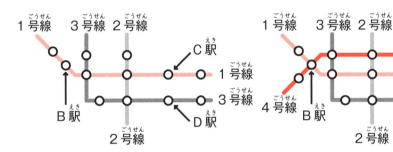

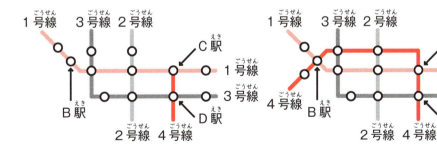

2 日本語の漢字には音読みと訓読みの2種類がある。音読みは昔の中国から伝わった発音をもとにしてできたもので、訓読みは漢字の意味を日本語の音で表現するためのものである。例えば「山」の場合、「サン」が音読みで「やま」が訓読みである。

　この「山」という漢字は、実際の山の形からできたと言われている。このように、実際にあるものの形からできた漢字を象形文字という。「山」以外には「木」「日」「月」「雨」などがある。

　「人」という漢字も象形で、人を横から見た形を表す。また、人を横ではなくて前から見た形の漢字もある。それが「大」という文字である。「人」も「大」も同じものから作られた漢字であるが、違う意味になることもあるのだ。

Q1 漢字の読み方の説明で正しいものはどれですか。
　a. どんな漢字にも音読みと訓読みの2種類がある。
　b.「やま」という読み方は「山」の中国の発音をもとにしてできたものである。
　c. 漢字には中国の発音をもとにしてできた読み方がある。
　d. 実際の山の形から「山」という漢字ができた。

Q2 それは何ですか。
　a. 象形の漢字
　b. 人を横から見た形を表す漢字
　c. 人を前から見た形を表す漢字
　d. 同じものから作られた漢字

Q3 以下の a. ~ b. は、「人」と「大」の漢字がどの形からできたのかを説明するものです。正しいものはどれですか。

a.

b.
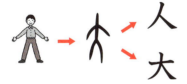

c.

d.

第34回 情報を読み取る ①

Deciphering Information / Đọc hiểu thông tin / जानकारीहरूको अर्थ बुझौं

問題 図表を見て、質問に答えてください。

 目標 10 分

1 以下の日程表を見てください。

遠足の日程

時間	内容
8:00	学校集合
8:15	バスに乗って出発
9:15	水族館到着
9:30～11:30	水族館見学
11:30～11:45	歩いてバーベキュー場へ移動
11:45～13:45	昼食（バーベキュー）
13:45～14:00	歩いて和紙会館へ移動
14:00～14:45	和紙作り体験
15:00	バスに乗って出発
16:00	学校到着

Q 正しいものはどれですか。
a. 水族館まで電車で行く。
b. 水族館を見学する時間は2時間15分ある。
c. 水族館からバーベキュー場までは歩いて15分かかる。
d. 水族館から歩いて帰る。

94

2 以下のハンディファン（handy fan）の案内を見てください。

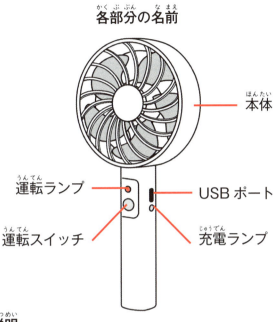

ランプの説明

ランプ	状態	意味
運転ランプ	ずっとついている	運転中
	ついたり消えたりする	故障の可能性があります（一度 OFF にしてください）
充電ランプ	ずっとついている	充電してください
	ついたり消えたりする	充電中

Q 間違っているものはどれですか。

a. 運転ランプは運転中、ずっとついている。
b. 運転ランプが消えたら、一度 OFF にしたほうがいい。
c. 充電ランプは充電中、ついたり消えたりする。
d. 充電ランプがずっとついているときは、充電が必要だという意味である。

3 以下のグラフを見てください。

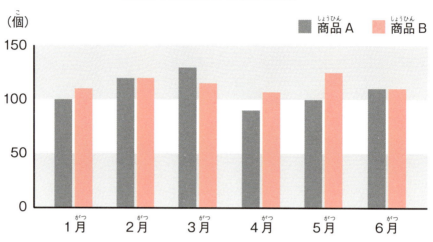

Q 商品Bの説明で正しいものはどれですか。

a. 1月が最も多く売れている。
b. 1月から6月まで、売れた数が毎月10％ずつ増えている。
c. 1月から6月まで、商品Aより毎月多く売れている。
d. 1月から6月まで、毎月100個以上売れている。

4 以下の案内を見てください。

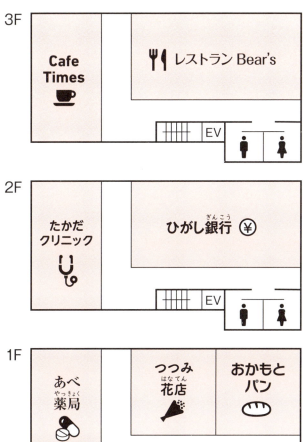

Q **間違っているもの**はどれですか。

　a. 1階で花を買うことができる。
　b. 銀行の隣にパン屋がある。
　c. 病院の下に薬局がある。
　d. 喫茶店とレストランは同じ階にある。

情報を読み取る ②

Deciphering Information / Đọc hiểu thông tin / जानकारीहरूको अर्थ बुझौं

問題 図表を見て、質問に答えてください。

 目標 **10** 分

1 次の表とカレンダーを見てください。

	燃えるごみ	プラスチックごみ	ビン・カン
北町	月曜日・木曜日	毎週水曜日	第1火曜日
南町	火曜日・金曜日	毎週水曜日	第3火曜日
東町	月曜日・木曜日	毎週水曜日	第2金曜日
西町	月曜日・木曜日	毎週火曜日	第2金曜日

日	月	火	水	木	金	土
1	2	3	4	5	6	7
8	9	10	11	12	13	14
15	16	17	18	19	20	21
22	23	24	25	26	25	28
29	30	31				

Q メイさんは「11日から13日まで毎日ごみを出しました」と言いました。メイさんはどの町に住んでいますか。

a. 北町
b. 南町
c. 東町
d. 西町

98

2 以下は、睡眠時間について調べたグラフです。

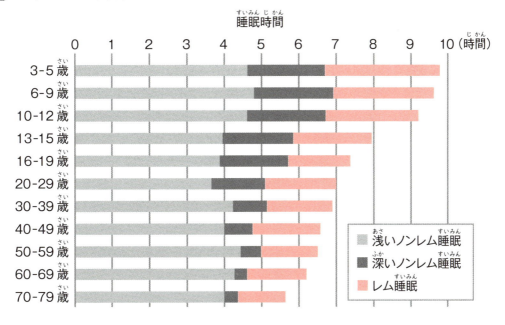

出典：厚生労働省「高齢者の睡眠」e-ヘルスネット 図2「年代ごとの睡眠時間」より作成
https://www.e-healthnet.mhlw.go.jp/information/heart/k-02-004.html（2024/7/10 参照）

睡眠には、ノンレム睡眠とレム睡眠がある。ノンレム睡眠は脳と体が休んでいる睡眠で、深いものと浅いものに分かれる。レム睡眠は、脳は働いているが体は休んでいる睡眠である。

Q 間違っているものはどれですか。

a. 浅いノンレム睡眠は年を取ればとるほど短くなる。
b. 浅いノンレム睡眠は 20～29 歳がいちばん短い。
c. 年を取ると、深いノンレム睡眠の時間が短くなる。
d. 年を取ると、レム睡眠の時間が短くなる。

3 以下は、からあげの店のクーポン券です。

からあげ1つ無料	デザート1つ無料
使える期間 10月21日～11月10日	使える期間 11月21日～11月30日
このクーポン券は、当店で1回だけご利用になれます。 ご利用の際は、レジでこのクーポン券を見せてください。 他のクーポン券と同時に使うことはできません。	このクーポン券は、当店で1回だけご利用になれます。 ご利用の際は、レジでこのクーポン券を見せてください。 他のクーポン券と同時に使うことはできません。
ドリンク1杯無料	会計 10% OFF
使える期間 11月1日～12月1日	使える期間 11月11日～11月20日
このクーポン券は、当店で1回だけご利用になれます。 ご利用の際は、レジでこのクーポン券を見せてください。 他のクーポン券と同時に使うことはできません。	このクーポン券は、当店で1回だけご利用になれます。 ご利用の際は、レジでこのクーポン券を見せてください。 他のクーポン券と同時に使うことはできません。

Q 正しい説明はどれですか。

a. ドリンクの券と10% OFFの券は同じ日に一緒に使うことができる。
b. 10% OFFの券を使うと、デザートの券は使えなくなる。
c. ドリンクの券は12月に入ると使えなくなる。
d. からあげの券は10月でも使える。

4 王さん、田中さん、メイさん、デワさんの4人がホテルの予約をしようとしています。今、ホテルには①〜④の4つの部屋しかありません。

　　王さん：たばこを吸います。朝ご飯は必要ないです。予算は1万円以下です。
　田中さん：たばこは吸いません。朝ご飯は食べたいです。料金はいくらでもいいです。
　メイさん：たばこは吸いません。朝ご飯は必要ないです。料金はいくらでもいいです。
　デワさん：たばこは吸いません。朝ご飯は食べたいです。予算は1万円以下です。

① 《禁煙》 スタンダードシングルルーム　人数 [1人]　8,800円
バス・トイレ付　ベッド [幅 105 センチ × 長さ 195 センチ]
Wi-Fi 接続無料　冷蔵庫あり　食事 [朝食なし・夕食なし]

② 《喫煙》 スタンダードシングルルーム　人数 [1人]　8,800円
バス・トイレ付　ベッド [幅 105 センチ × 長さ 195 センチ]
Wi-Fi 接続無料　冷蔵庫あり　食事 [朝食なし・夕食なし]

③ 《禁煙》 スタンダードシングルルーム　人数 [1人]　9,900円
バス・トイレ付　ベッド [幅 105 センチ × 長さ 195 センチ]
Wi-Fi 接続無料　冷蔵庫あり　食事 [朝食あり・夕食なし]

④ 《禁煙》 デラックスシングルルーム　人数 [1人]　13,200円
バス・トイレ付　ベッド [幅 120 センチ × 長さ 195 センチ]
Wi-Fi 接続無料　冷蔵庫あり　食事 [朝食あり・夕食なし]

Q この4人はそれぞれどの部屋にすればいいですか。

a. 王さん−②　田中さん−④　メイさん−①　デワさん−③
b. 王さん−②　田中さん−①　メイさん−③　デワさん−④
c. 王さん−①　田中さん−④　メイさん−②　デワさん−③
d. 王さん−①　田中さん−③　メイさん−④　デワさん−②

第36回　情報を読み取る ③

Deciphering Information / Đọc hiểu thông tin / जानकारीहरूको अर्थ बुझी

問題 図表を見て、質問に答えてください。  目標 10 分

1. 右の表はミックスジュースの店のメニューです。それを見て下の質問に答えてください。

   Q1 ティンさんは、にんじんとバナナとアーモンドのミックスジュースのMサイズを頼みました。値段はいくらですか。

   a. 500 円
   b. 550 円
   c. 600 円
   d. 650 円

   Q2 サロジさんは今、850 円持っています。**注文できない組み合わせ**はどれですか。

   a. L サイズ、いちご、マンゴー、アーモンドを追加
   b. LL サイズ、ほうれんそう、りんご、バナナ
   c. M サイズ、キウイフルーツ、メロン、牛乳を豆乳に変える
   d. L サイズ、にんじん、オレンジ、牛乳を豆乳に変える

102

ミックスジュース専門店 ガドガド

牛乳に、お好きな **くだもの** と **やさい** をミックスしてジュースを作ります。

おいしいよ！

【料金】

2つミックスした場合
S 450円　M 550円　L 650円　LL 750円

3つミックスした場合
S 550円　M 650円　L 750円　LL 850円

以下の **くだもの** と **やさい** の中から、お好きなものをお選びください。

くだもの	やさい
・オレンジ	・にんじん
・グレープフルーツ	・ほうれんそう
・パイナップル	・セロリ
・りんご	・ケール
・バナナ	・ビーツ（ビート）
・キウイフルーツ	
・いちご（+100円）	
・マンゴー（+100円）	
・メロン（+100円）	

※アーモンドを追加することができます。追加料金は50円です。
※牛乳を豆乳に変えることもできます。ただし、100円プラスされます。

2 右の文章と絵は、言語によって言葉の分け方が違うことを説明したものです。それを見て下の質問に答えてください。

Q1 間違っているものはどれですか。
  a. 日本語の「飲む」は、韓国語では２つの言い方がある。
  b. 日本語の「食べる」は、中国語では２つの言い方がある。
  c. 日本語の「吸う」は、中国語では２つの言い方がある。
  d. 日本語の「吸う」は、韓国語では２つの言い方がある。

Q2 間違っているものはどれですか。
  a. 中国語では、「食べる」と「飲む」は同じ言葉で表す。
  b. 中国語では、日本語の「吸う」について細かく分けて考えている。
  c. 日本語では、息とたばこについて同じ言葉を使う。
  d. 韓国語では、水やジュースなどでは「モクタ」と「マシダ」のどちらを使ってもよい。

「食べる」と「飲む」の違いについて調べてみると、日本語と韓国語での違いは下の図のようになった。さらに調べると「吸う」という言葉が現れた。日本語も韓国語も同じように、いくつかの言葉で言い表すが、分け方は違う。そして、中国語ではこれらを全て違う言葉で細かく分ける。このように言葉が分かれるのは、それだけものの見方があるからだ。

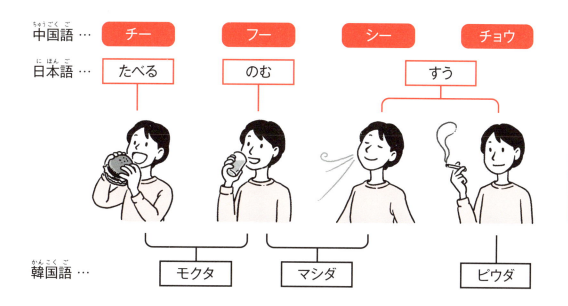

解答　Answers　Giải đáp　उत्तरहरू

第1部　1文字から始める 基礎トレーニング

第1回　違う文字を探す ①

1 3つ

2 4つ

3 3つ

4 2つ

5 1つ

6 5つ

7 4つ

第2回 違う文字を探す ②

1 3つ

字	字	字	字	字	字	学	字
字	学	字	字	字	字	字	字
字	字	字	字	字	字	字	字
字	字	字	字	字	字	字	字
字	字	字	学	字	字	字	字
字	字	字	字	字	字	字	字
字	字	字	字	字	字	字	字
字	字	字	字	字	字	字	字

2 2つ

入	入	入	入	入	入	入	入
入	入	入	入	入	入	入	入
入	入	入	入	入	入	入	入
入	入	入	入	入	入	入	入
入	入	入	入	人	入	入	入
入	入	入	入	入	入	入	入
入	入	入	入	入	入	人	入

3 3つ

払	払	払	払	払	払	払	払
払	仏	払	払	払	払	仏	払	払
払	払	払	払	払	払	払	仏
払	払	払	払	払	払	払	払
払	払	払	私	払	払	払	払
払	払	払	払	払	払	払	払
払	私	仏	払	払	払	仏	私	仏	払
払	払	払	払	払	払	仏	払	払

4 2つ

右	右	右	右	右	右	右	左
左	右	右	右	右	右	左	右
右	右	右	右	右	左	布	右
右	右	左	左	右	右	右	右
右	右	右	右	右	右	右	右
右	右	左	右	左	右	右	右
右	左	右	右	右	布	左	右
右	右	右	右	右	右	右	右

5 2つ

料理	料理	料理	料理	料理
料理	料理	料理	料理	料理
料理	料理	料理	料理	料理
料理	料理	料理	料理	料理
料理	料理	料理	料理	料理

6 1つ

音楽	音楽	音楽	音楽	音楽
音楽	音楽	音楽	音楽	音楽
音楽	音薬	音楽	音楽	音楽
音楽	音楽	音楽	音楽	音楽
音楽	音楽	音楽	音楽	音楽

7 4つ

先生	先生	先生	先生	生先
先生	先生	先生	先生	先生
生先	先生	先生	生先	先生
先生	先生	先生	先生	先生
先生	生先	先生	先生	先生

8 3つ

存在	在存	存在	存在	存在
存在	存在	存在	存在	存在
存在	存在	存在	存在	存在
存在	存在	在存	存在	存在
存在	存在	存在	存在	在存

9 1つ

名前	名前	名前	名前	名前
名前	名前	名前	名前	名前
名前	名前	名前	名前	名前
名前	名前	名前	名前	名前
名前	各前	名前	名前	名前

第3回　間違いを見つける ①

1. ぬがね → めがね
2. 好さですか → 好きですか
3. はしいです → ほしいです
4. にくさん → たくさん
5. れかりません → わかりません
6. ろす → るす
7. マイスクリーム → アイスクリーム
8. ククシー → タクシー
9. パリコン → パソコン
10. ヌピード → スピード
11. ウイン → ワイン
12. 1ナートル → 1メートル

第4回　間違いを見つける ②

1. 出長 → 出張
2. お持ちください → お待ちください
3. 重用な → 重要な
4. 医荅 → 医者
5. 合社 → 会社
6. 自燃 → 自然
7. 種頭 → 種類
8. ごみ籍 → ごみ箱

第5回　間違いを見つける ③

1. 先生は職員室にいなかった
　　→ いませんでした
2. 映画を観ました → 観た
3. どうやったらいいのでしょうか
　　→ いいのだろうか
4. サイレンが聞こえてきました
　　→ 聞こえてきた
5. 自分の時間も大切にして働きたい
　　→ 働きたいです
6. 課題について説明するね
　　→ 説明しますね
7. 中を見てびっくりした
　　→ びっくりしました
8. 体を守る力を高めるそうです
　　→ 高めるそうだ

第6回　仲間外れを選ぶ ①

1. c　2. c　3. b　4. c　5. a　6. b　7. c　8. b　9. c　10. b

第7回　仲間外れを選ぶ ②

1. a　2. c　3. b　4. c　5. a　6. b　7. b　8. c　9. a　10. a

第8回　図表を読み取る ①

1. a　2. a　3. b　4. b　5. a　6. b　7. a　8. b　9. b　10. a

第9回　図表を読み取る ②

1. a　2. a　3. b　4. a　5. a　6. b

第2部　文を読み解く 集中トレーニング

第10回　5W1Hをつかむ ①
1 b　**2** a　**3** b　**4** a　**5** b　**6** a　**7** b　**8** a　**9** b　**10** a　**11** b　**12** b

第11回　5W1Hをつかむ ②
1 a　**2** b　**3** b　**4** b　**5** b　**6** a　**7** a　**8** b　**9** b　**10** b　**11** a　**12** b

第12回　文の意味に合うものを選ぶ ①
1 b　**2** b　**3** a　**4** a　**5** b　**6** a　**7** a　**8** a　**9** b　**10** a　**11** b　**12** a

第13回　文の意味に合うものを選ぶ ②
1 b　**2** b　**3** a　**4** b　**5** a　**6** a　**7** b　**8** b　**9** b　**10** a　**11** b　**12** a

第14回　文の意味に合うものを選ぶ ③
1 a　**2** b　**3** a　**4** a　**5** a　**6** b　**7** a　**8** b　**9** b　**10** b　**11** a　**12** b

第15回　使い方が違うものを見つける ①
1 c　**2** a　**3** b　**4** a　**5** c　**6** a　**7** a　**8** b　**9** c　**10** a　**11** c　**12** c

第16回　使い方が違うものを見つける ②
1 c　**2** c　**3** a　**4** b　**5** b　**6** c　**7** a　**8** c　**9** b　**10** a　**11** b　**12** b

第17回　文の穴埋めをする ①
1 b　**2** a　**3** a　**4** c　**5** b　**6** b　**7** a　**8** a　**9** c　**10** b　**11** c　**12** c

第18回　文の穴埋めをする ②
1 c　**2** b　**3** a　**4** b　**5** c　**6** a　**7** c　**8** c　**9** c　**10** b　**11** b　**12** a

第19回　文を正しく直す ①
1 a　**2** a　**3** b　**4** b　**5** b　**6** a　**7** b　**8** a　**9** a　**10** a　**11** b　**12** a

第20回　文を正しく直す ②
1 b　**2** b　**3** a　**4** b　**5** a　**6** a　**7** a　**8** b　**9** a　**10** a　**11** a　**12** b

第21回 | 文を正しく直す ③
1 a **2** b **3** a **4** b **5** a **6** b **7** a **8** b **9** a **10** b **11** a **12** b

第22回 | あとに続く文を選ぶ ①
1 b **2** b **3** a **4** a **5** a **6** a **7** b **8** b **9** b **10** a **11** a **12** b

第23回 | あとに続く文を選ぶ ②
1 a **2** b **3** a **4** b **5** b **6** a **7** b **8** a **9** a **10** a **11** b **12** b

第24回 | あとに続く文を選ぶ ③
1 a **2** b **3** b **4** a **5** a **6** b **7** a **8** b **9** a **10** a **11** b **12** b

第25回 | 文を並べ替える ①
1 d → a → c → b
2 d → b → a → c
3 c → a → b → d
4 b → a → d → c
5 d → c → b → a
6 a → c → d → b
7 c → a → d → b
8 b → d → c → a

第26回 | 文を並べ替える ②
1 c → b → d → a
2 a → b → d → c
3 c → a → b → d
4 a → d → b → c
5 b → d → a → c
6 b → c → a → d
7 d → a → b → c
8 d → a → c → b

第27回 | 余りを選ぶ ①
1 f **2** d **3** e **4** c **5** a **6** e **7** c **8** b

第28回 | 余りを選ぶ ②
1 e **2** c **3** c **4** a **5** e **6** d **7** a **8** b

第3部 文章・情報を読む 応用トレーニング

第29回 文章を読み取る ①
1 c **2** b **3** c **4** a **5** a **6** b

第30回 文章を読み取る ②
1 c **2** c **3** b **4** c **5** b **6** b

第31回 文章を読み取る ③
1 (Q1) c (Q2) d (Q3) c   **2** (Q1) a (Q2) d (Q3) c

第32回 文章を読み取る ④
1 (Q1) a (Q2) d (Q3) c   **2** (Q1) d (Q2) b (Q3) b

第33回 文章を読み取る ⑤
1 (Q1) a (Q2) c (Q3) b   **2** (Q1) c (Q2) c (Q3) d

第34回 情報を読み取る ①
1 c **2** b **3** d **4** b

第35回 情報を読み取る ②
1 c **2** a **3** d **4** a

第36回 情報を読み取る ③
1 (Q1) c (Q2) a   **2** (Q1) b (Q2) a

■ 著者紹介

西隈 俊哉 (にしくま しゅんや)

南山大学大学院外国語学研究科修士課程修了。コミュニケーションとしての日本語に関する研修・コンサルタント業務を行う一般社団法人「日本語フロンティア」代表理事。外国人への日本語教育のほか、日本語教師養成にも携わっている。著書に、『2分で読解力ドリル』シリーズ（学研）『考える・理解する・伝える力が身につく 日本語ロジカルトレーニング』シリーズ（アルク）『1問2分でできる「語彙力・読解力」エクササイズ』（講談社）などがある。

■ 参考文献

学習塾ロジム（2016）『ロジカルキッズワーク 基礎編 一生使える論理的思考力が身につく！』Gakken
高濱正伸・竹谷和（2022）『考える力がつく 読解力なぞペーレベルアップ編〈小学3年〜4年生〉』草思社
角田和将（2020）『「本を読む力」がぐんぐん伸びる！ 読書ドリル』総合法令出版
福島隆史（2019）『ふくしま式「本当の国語力」が身につく問題集［一文力編］』大和出版
山崎紅（2015）『小学生からはじめる 考える力が身につく本－ロジカルシンキング－』日経BP